辰星
太白
熒惑
歳星
鎮星
羅睺星
計都喉
九曜

ポルックス
二つ星
蟹目
兄弟星
門柱
セント・エルモの火
蟹座
鬼宿
プレセペ
積尸気
蜂の巣星団
天狗座

傳説
蛇遣座

初夜
中夜
後夜

五夜
六時
中天
月夜
良夜
短夜
星月夜
朧月夜
聖夜
除夜

大犬座
シリウス
青星
三角星
天狼
アスピス神
小犬座
プロキオン

小夜更く
小夜中
小夜嵐
小夜嵐

海蛇座
アルファルド
南十字星
コールサック
ケンタウルス座

Fig.9

ドゥベー メラク フェクダ メグレス

糠星
煌星
番星
其の間

満天の星
星の林
星の紛れ
星のささやき
七夕
星祭り
星の船
星の位
日食
妖霊星
二十八宿
黄道

月
朔
新月
三日月
上弦
十三夜
十五夜
十六夜
既望
立待月
居待月

有明の月
朝月夜
残月
有明け

小熊座
小七曜
北極星
ポラリス
子の星
心星
北の一つ星
コカブ
フェルカド
矢来星

マゼラン雲
ニャート十字
横着星
南極老人星
入定星
布良星
アルゴ座
カノープス
クリムズンスター
兎座
冬の大三角
色白

ケラエノ
エレクトラ
タイゲタ
マイア
ステロペ
メロペ

ミルキー・ウェイ

Fig.5

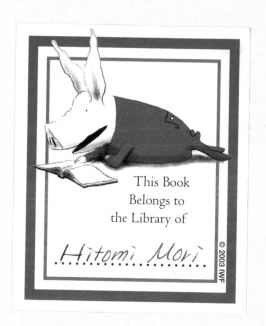

This Book
Belongs to
the Library of

Hitomi Mori

宙ノ名前

写真・文

林 完次

光琳社出版

フラムスチード天球図譜(恒星社)より

※本書は、月や星をはじめとする、夜の空に関する言葉を、それを直接示すか、あるいはイメージした写真とともに紹介する歳時記風天体図鑑です。天文学上の用語については、原則として取り上げていません。

※本書では351項目を取り上げて、その言葉に関する解説文を記しました。また、解説文中に登場する言葉で、特に紹介しておきたい言葉については、太字を用いて表記しました。（太字は、その言葉を紹介するのにもっともふさわしく、意味が理解しやすい箇所、もしくは、その言葉が最初に登場した箇所にのみ使用しています。また、項目を別に設けている言葉に関しては、文中での強調はしていません。ただし、同じ言葉でも、異なった意味合いで使用されている場合には、この限りではありません。）

※各項目は、月ノ章、夜ノ章、天ノ章、春ノ星ノ章、夏ノ星ノ章、秋ノ星ノ章、冬ノ星ノ章の7つの章に適宜振り分け、各章の中では、内容の関連性に基づいて配列しました。検索にあたっては、巻末の五十音順索引をご利用ください。なお、索引には、各項目名の他に、解説文中に太字で表記した言葉も収録しました。

※原則として、星座にまつわる言葉については、季節ごとに春以下の各星ノ章に収録し、それ以外の惑星や星全般に関する言葉については、天ノ章に収録しました。

※南天の星座群をはじめとする、本文で紹介できなかった星座については、巻末に88星座一覧表を掲載して、短い解説を記しましたので、そちらをご参照ください。

※各章には全部で250点の写真を収録し、各章の内容を視覚的にイメージできるよう適宜配置しました。

※各項目の内容を具体的に示している写真については、原則としてその文章に隣接する位置にレイアウトしました。見開き写真など、編集の都合上やむを得ず文章と隣接できなかったものについては、その項目の文末に（　）として、写真掲載ページを記しました。

目次

扉の渾天儀は長崎市立博物館の所蔵です。

月に祈りをささげ

星に願いをかけた

祖先たちに………………

1. 月ノ章

秋月

月の出

月

月 (つき)

めぐりあひて見しやそれともわかぬ間に雲がくれにし夜半の月かな（紫式部・新古今集）

古くから詩歌に詠まれてきた月は、いうまでもなく地球のただ一つの天然の衛星です。直径は地球の約四分の一、質量は地球の八〇分の一ほどで、表面にたくさんのクレーターがあります。自転をしながら約一ヶ月で地球を一周していますが、自転と公転の周期がほぼ等しいので、いつも同じ面を地球に向けて繰り返します。

記紀には、星に関するものはほとんどありませんが、太陽と月については、『古事記』に記されています。伊弉諾尊の左の眼から天照大神、右の眼から月読命が生まれたと、『日本書紀』によると、天照大神は、五穀をつかさどる保食神のところへ月読命を訪ねさせました。保食神は、口から飯や魚をとりだしてもてなしたところ、月読命は怒って、保食神を斬り殺してしまいました。そして、この報告を受けた天照大神も腹を立て、天照大神と月読命はその後、それぞれ昼と夜にわかれて天に出ることになったといいます。

一方、ギリシア神話の月の神はアルテミスで、大神ゼウスとレートーとの間に生まれました。日の神アポロンは双生の兄にあたります。

なお、月は太陰、桂、姮娥、嫦娥など異名が数多くあります。桂とは古代中国の伝説にある、月の中に生えているという丈の長い想像上の木をいいますが、それが転じて月をさすようになりました。桂桾といえば、月の桂の木でつくったかじをいいます。

太陰
桂
姮娥
嫦娥
桂桾

久方の月の桂も秋はなほもみぢすれば照りまさるらむ（良寛）

天の海に月の船浮け桂かぢかけて漕ぐ見ゆ月人壮子（万葉集　巻十）

朔 (さく)

朔と同じ方向にあって、暗い半面を地球に向けるため、月を見ることができないことをいいます。また、陰暦で毎月の一日や、北の方角をさすこともあります。

新月 (しんげつ)

朔と同じことですが、陰暦では、月の初めの夜に見える月を新月ともいいます。

露下り天高くして秋の気清く　空山に独り夜にありて旅魂驚く　疎灯自り照らして帆孤つ宿り　新月なおも懸かりて杵雙つ鳴る（杜甫）

新月や青橘の影ぼふし（大島蓼太）

初月 (はつづき)

陰暦八月初めの中秋最初の月をいいます。夕日を追うように、日没直後に沈もうとするのが見られます。

初月夜門二三歩の美しき（佐藤惣之助）

粟稗と目出度なりぬ初月夜（山岸半残）

三日月

二日月 ふつかづき

陰暦で、毎月二日に見える月のこと。茜色の空に眉よりも細い月が、透き通るような光を放っています。

あかね雲ひとすぢよぎる二日月　（渡辺水巴）

こがらしに二日の月のふきちるか　（山本荷兮）

三日月 みかづき

陰暦で毎月三日に出る、鎌のように細い月のことをいいます。

三日月に関する俗信は各地に残っており、たとえば静岡地方に、三日月が上るときや沈むときを見ると病気になったり不幸にあったりするというので、その日は豆腐を供えて拝むという風習があります。こうすれば身体は丈夫になって、幸福になれると言い伝えられています。

沖縄に古く伝わる『おもしろさうし』という歌謡集に、「ゑけ上がる三日月や　ゑけ神ぎや金真弓」（おお、みそらにかかる三日月よ。おお、そは神の強い弓）と歌われています。

三日月に地はおぼろ也蕎麦の花　（松尾芭蕉）

上弦 じょうげん

新月から満月になる間の**半月**をいいます。日没のときに南中し、真夜中に弓の弦を上にして沈むところからついた呼び名です。**上つ弓張**とか、**上の弓張**ともいいます。

半月
上つ弓張
上の弓張

上弦

十日夜 とおかんや

陰暦十月十日の夜に行う収穫の祝いで、東日本では刈り入れが終わり、田の神が山に帰るといってお祭りします。また西日本では**亥の子**といい、陰暦十月の亥の日に行います。田の神が去って行くと信じられ、子どもらが石に縄をつけ土を打ってまわり、収穫した穀物で餅をつき亥の刻に食べて祝います。

静岡県駿東郡では、十日の月が西に沈むまで夜なべをすると、金持ちになると言われています。

　眼鏡して古日記見る亥の子かな（巌谷小波）

亥の子

十日夜

十三夜 じゅうさんや

陰暦の毎月の十三日の夜のことですが、とくに九月十三日の夜をさすこともあります。八月の十五夜の月に対し、後の月と呼ばれています。縁起のよい月とされ、静岡県引佐郡では、**十三夜様**といって、拝むと成功するといい、神奈川県三浦郡では、十三夜が晴れていると小麦がよくとれるといわれています。

　田舎から柿くれにけり十三夜（炭太祇）

　泊る気でひとり来ませり十三夜（与謝蕪村）

十三夜様

十三夜

待宵 まちよい

中秋の名月の前夜、またはその夜の月のことをいいます。月見が花見のように庶民の楽しみであった昔、名月の夜が楽しみで待たれました。**小望月**とも。

江戸川や月待宵の芒船（小林一茶）

小望月

待宵

十五夜

十五夜 じゅうごや

陰暦の毎月十五日の夜のことですが、とくに八月十五日の夜をさすこともあります。古くから観月の好時節とされています。

十五夜をさす言葉に**三五**があり、とくに陰暦八月十五日の夜を**三五夜**、その月を**三五の月**といいます。

十五夜の雲の遊びてかぎりなし（後藤夜半）

芋も子を産めば三五の月夜かな（山本西武）

三五
三五夜
三五の月

望 ぼう

望月のくまなきを千里の外まで眺めたるよりも、青みたるように、ふかき山の杉の梢に見えたる木の間の影、うちしぐれわたる村雲がくれのほど、また哀れなり（吉田兼好／徒然草）

満月とか**望月**ともいい、地球が太陽と月の間にあって、直線に並んだときのことをいいます。

願はくは花の下にて春死なむそのきさらぎの望月のころ（西行・続古今集）

望の月雨を尽くして雲去りし（渡辺水巴）

木がくれて望のいさよふけしきかな（阿波野青畝）

満月
望月

十六夜 いざよい

陰暦十六日の夜、または、その夜に上る十六夜の月のことをいいます。十五夜よりおよそ五〇分遅く、いざよい（ためらい）ながら上るためといわれています。もろともに大内山は出でつれど入る方見せぬ十六夜の月（源氏物語）

いざよいや闇より出づる木々の影（三浦樗良）

十六夜のきのふともなく照らしけり（阿波野青畝）

―― 十六夜の月

既望 きぼう

既に望、すなわち、満月が終わったという意味から呼ばれる、十六夜の異称です。

十六夜

立待月 たちまちづき

陰暦十七日の月のこと。日没後、立って待っているうちに月が上るところから、立待月と呼ばれています。立待とは、眠らないで事の成るのを待つという意味があります。

立待の夜を降りいでて萩しろし（水原秋桜子）

古き沼立待月を上げにけり（富安風生）

立待月咄すほどなくさし亘り（阿波野青畝）

居待月 いまちづき

陰暦十八日の月のこと。座って待っているうちに月が上るところから、居待月と呼ばれています。

こほろぎやくもりわたれる居待月（五十崎古郷）

月の貌やふけてもわかし十八夜（高瀬梅盛）

暗がりをともなひ上る居待月（後藤夜半）

寝待月 ねまちづき

陰暦十九日の月のこと。月の出る時刻が遅いため、寝て待つという意味から寝待月と呼ばれています。また、臥して待つの意から臥待月ともいいます。

又ことし松と寝待ちの月出でぬ（小林一茶）

寝待月雨来て寝ねし後知らず（水原秋桜子）

―― 臥待月

立待月

更待月 ふけまちづき

陰暦二十日夜の月のことなので、二十日月ともいいます。夜が更けるころ月が上るためこの名で呼ばれますが、亥の正刻（午後十時ごろ）に上るところから、二十日亥中とか、亥中の月とも呼ばれます。

男の児得ぬ今宵更待酒汲まな（石塚友二）

二十日月
二十日亥中
亥中の月

下弦 かげん

陰暦二十二、三日ごろの月のことで、満月と次の新月の間の半月をいいます。月が沈むとき、弓の弦が下向きになるところからついた呼び名です。下つ弓張とか、下の弓張ともいいます。この頃の月は真夜中に上り、夜明けに南中します。

をりふし秋の月は下のゆみはりなり（平家物語）

下つ弓張　下の弓張

真夜中の月

二十三夜待ち にじゅうさんやまち

陰暦二十三日の夜半過ぎに月待ちをすることで、願いごとがかなうといわれています。人に代わって、願かけの修行や水ごりなどをする願人坊主のことを代待ちといいますが、門の通りはまだ四つ」と表現しています。　静岡県富士郡では、二十三夜の月を拝んで寝ると、病気にならないと言い伝えられています。

なお、二十三夜の月は、子の刻（午前〇時ごろ）に上るため、真夜中の月ともいいます。

俳諧の二十三夜を誰と待たん（景山筍吉）

二十三夜

二十六夜 にじゅうろくや

陰暦二十六日の月のことで、静岡市では九月二十六日の夜、お婆さんたちが集まって、「年に一度の六夜さん、御船に拝む嶺の月かげ」と、唱える風習が残っています。

朔望月 さくぼうげつ

朔（新月）から次ぎの朔にいたるまで、または、望（満月）から次ぎの望にいたるまでの平均時間のことで、月の満ち欠けの周期に一致します。二九・五三日で、太陰月ともいいます。

太陰月

晦 つきこもり

月の末日、みそかのこと。月がこもり隠れるからいいます。
明治の初年まで行われていた太陰暦という古い暦では、月の一五日を満月とする立て方になっていました。それでちょうどその反対の月の終わりの日を、ツゴモリすなわち月の隠れるときといい、その翌日をツイタチといいました。ツイタチというのは、はじめて現れることであります

（柳田国男／火の昔）

二十六夜

二十七日の月

月の入り

地球照

地球照
ちきゅうしょう

地球の反射光で、月の欠けている部分が淡く光って見える現象をいいます。三日月前後によく見えます。

月相 ——
月波

月齢
げつれい

新月（朔）を零として数えた日数で、ほぼ月の満ち欠けをあらわす数値のこと。上弦の月齢はおよそ七・四前後、満月は一四・八前後、下弦は二二・一前後になります。

また、月齢に応じて月の形が変化していく月の位相を、月相（げっそう）といいます。

月齢のことを月波（つきなみ）ともいいますが、こちらは月光に映った波に言い聞かせるときにも使います。

水の面に照る月波を数ふれば今宵ぞ秋のもなかなりける
（源順みなもとのしたごう・拾遺集）

月齢7

月齢5

月齢3

月齢19

月齢15

月齢10

月齢27

月齢25

月齢22

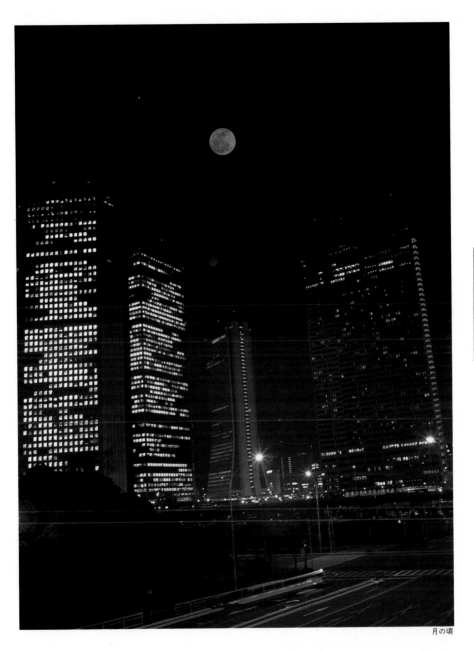

月の頃

中秋（ちゅうしゅう）

陰暦八月十五日のこと。秋（陰暦七、八、九月）の最中にあたるところから、中秋といいます。古くから月見の時節とされており、仲秋とも書きます。

──仲秋

後の月（のちのつき）

陰暦八月十五日（十五夜）の月に対して、九月十三日の月を後の月といいます。また、八月十五日の芋名月に対して、九月十三日を豆名月とか、栗名月といって月見の行事を行います。

なお、月の名残といえば後の月、後の月見といえば、中秋の月見に対して陰暦九月十三日の月見をさします。

橋桁のしのぶは月の名残かな（松尾芭蕉）

芋名月
豆名月
栗名月
月の名残
後の月見

月待ち（つきまち）

月の十三日、十七日、十九日、二十三日などの夜に人々が集まり、供物を供えてともに飲食をし、月の出を待って拝む行事のこと。無病息災や豊饒を祈願します。

二十三夜塔などの石塔が、各地に見られます。

──二十三夜塔

月見（つきみ）

月をながめ鑑賞することで、観月ともいいます。とくに陰暦八月十五日と、九月十三日の月を観ることをいい、すすきの穂、団子、稲の初穂、芋、栗、豆などを供えるところもあります。

雲折々人を休むる月見哉（松尾芭蕉）
浮世の月見過しにけり末二年（井原西鶴）
月見する水より音の尖りけり（桜井吏登）

──観月

月の頃（つきのころ）

満月前後の月のながめのよい頃のこと。

夏は夜。月のころはさらなり、やみもなほ、蛍の多く飛びちがひたる。また、ただ一つ二つなど、ほのかにうち光りて行くもをかし。雨など降るもをかし。（清少納言／枕草子）

名月

四季の月 しきのつき

一年を通して三日月を見ると、春から夏の月は横に寝て、秋から冬の月は立って見えます。月の軌道の関係ですが、このことから、三日月が縦に立っていると晴れ、横に寝ていると雨になるという天気占いが各地に残っています。茨城では、「月平らに船乗るな」といって、三日月が縦に見えると海は凪、横に見えると海が荒れると言い伝えられています。また、同じ月でも春の月は朧にかすみ、冬の月は透き通るような青白い光を放っています。

春夏秋冬で、月の趣はそれぞれ異なります。

菜の花や月は東に日は西に　（与謝蕪村）

五月雨やある夜ひそかに松の月　（大島蓼太）

あらし吹く草の中よりけふの月　（三浦樗良）

月や霰其夜も更て川ちどり　（上田無腸）

春の月

寒月 かんげつ

冷たく冴えた冬の月のこと。頭上からの青白い光が、寒さを強調しています。

寒月や石塔の影杉の影　（正岡子規）

月天心 つきてんしん

冬の満月は頭の真上近くを通り、こうこうと輝き、天の中心を通っているように見えます。この状態を月天心といいます。北半球の中緯度にある日本では、冬の満月がもっとも高度が高くなります。

天心にいざよう月の下に住む　（林千代子）

月天心の夜

雪待月

明月（めいげつ）

清く澄んだ月のことで、名月をさします。

独り幽篁の裏に座し　琴を弾じて復た長く嘯す　深林人知らず　明月来たりて相照らす　（王維）

明月を遮る庇　面白し　（高浜虚子）

名月や池をめぐりて夜もすがら　（松尾芭蕉）

雨月（うげつ）

雨の降る夜の月で、雨夜の月ともいいます。雨で見ることのできない名月をいうことをたとえていいます。また、きわめて稀にしか見られないことを、

旅人よ笠島語れ雨の月　（与謝蕪村）

くらがりに炭火たばしる雨月かな　（石田波郷）

雨夜の月　雨夜の星

恋人の姿を想像するだけで、実際には見られないこと

雨夜の星といいます。

雪待月（ゆきまちづき）

今にも降り始めそうな雪催いの空にかかっている月のこと。同じ雪待月と書いて、陰暦十一月のことを、ゆきまつつきともいいます。

雪待月ひそかに梢もえみたり　（加藤楸邨）

薄月（うすづき）

月が霞んではっきりしないことを薄月といい、月光がほのかにさす夜のことを薄月夜といいます。

薄月や水行く末の小夜砧　（高桑闌更）

薄月夜

薄月

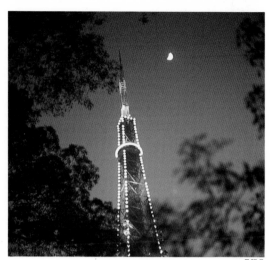
弓張月

弓張月 ゆみはりづき

弓のような形をした月のことで、上弦、または下弦の月のこと。**弦月**ともいいます。

照る月を弓張りとしもいふことは山辺をさしていればなりけり

（凡河内躬恒・大和物語）
<ruby>凡河内躬恒<rt>おおしこうちのみつね</rt></ruby>

弦月

月代
額月

天満月 あまみつき

満月のこと。同じような言葉に**天満星**があり、こちらは夜空一面の星をさします。
<ruby>天満星<rt>あまみつぼし</rt></ruby>

天満星

月白 つきしろ

月が出ようとしているときのことで、空が明るくなる状態をいいます。**月代**とも書き、こちらはさかやきとも読みます。**額月**とも。
<ruby>額月<rt>ひたいづき</rt></ruby>

冠の下にある男子のまえがみを半月状に剃ったところから

月代や膝に手を置く宵の宿（松尾芭蕉）

月を追う

上る満月

沈む五日月

月宿る

昼の月

田毎の月 たごとのつき

長野県更級郡冠着山の山腹の、小さく区切った棚田ごとに映る月のこと。

帰る雁田毎の月のくもる夜に（与謝蕪村）

月宿る つきやどる

月は満ち欠けをくり返しながら、夜毎、西から東へ移動をしています。月がその夜の座を占めることを、月宿るといいます。

夏の夜はまだ宵ながら明けぬるを雲のいづこに月宿るらむ（清原深養父・古今集）

月宿る沢田の面にふす鴫の氷より立つあけがたの空（続草庵集）

白道 はくどう

月が天球上に描く軌道のこと。太陽の見かけの通り道である黄道とは、平均五度八分四三秒四三傾いています。

月光

月明かり（つきあかり）

月の光、または月の光で明るいことをいいます。**月光、月華**とか**月明**とも。

住む人もなき　山里の秋の夜は月の光もさびしかりけり
　　　　　　　　　　　　　　　　（藤原範永・後拾遺集）

胸にさす月光をあげて受く　　　　　　　　（加藤秋邨）

月光にぶつかって行く山路かな　　　　　　（渡辺水巴）

月光　月華　月明

月下（げっか）

月の光のさすところ。チュベローズは、夜咲いて芳香があるところから**月下香**といい、同じように夏の夜に咲く純白の大輪を**月下美人**といいます。

夜ル窃ニ虫は月下の栗を穿ツ　　　　　　（松尾芭蕉）

鴨渡る月下蘆荻の音もなし　　　　　　　（水原秋桜子）

月下香
月下美人

月夕（げっせき）

月がこうこうと照っている夜のことで、陰暦八月十五日の夜をさすこともあります。

月前（げつぜん）

月光が照らしている範囲を月前といい、他の勢力の前で影が薄くなった存在を**月前の星**といいます。

月前の星

月影（つきかげ）

月、または月光のこと、さらに月の形、月の姿、あるいは月の光でうつるものの影のことをいいます。

ゆく末は空もひとつの武蔵野に草の原より出づる月影　（藤原良経・新古今集）

冬枯れの森の朽葉の霜の上に落ちたる月の影のさむけさ　（藤原清輔・新古今集）

秋風にたなびく雲の絶え間よりもれ出づる月の影のさやけさ　（藤原顕輔・新古今集）

月映え（つきばえ）

月光に照らされて、美しく映えることをいいます。

闇はあやなきを月映え今少し心ことなりと　（源氏物語）

月映え

月の氷 つきのこおり

澄みわたった夜空に冴えた月が氷のように見えるとか、月光が氷にうつってきらめくようすを、月の氷といいます。

月の氷にをしぞ立つなる（拾玉集）

月の剣 つきのつるぎ

三日月の異称で、形が剣に似ているところからついた呼び名です。また、形が眉に似ているところから、月の眉ともいいます。

月のまゆ峰に近づく夕間暮れ（元永二年七月内大臣殿歌合）

月の眉

月の剣

月の氷

月の霜 つきのしも

月の光が冴えて白いのを霜にたとえていう言葉。同じように、月の雫といえば、露をさします。

月の霜をや秋と見つらむ（後撰和歌集）

月の雫

月の鏡 つきのかがみ

月の形を鏡に見立てたもので、満月または晴れ渡った月のことをいいます。また、月影をうつす池水の面を澄みきった鏡にたとえた言葉でもあり、月の真澄鏡ともいいます。

山水にさえ行く月のますかがみ　こほらずとても流るとも見ず（藤原定家）

月の真澄鏡

月の船

月の盃

月の盃 つきのさかずき

弓なりにそった月を、盃に見立てていう言葉です。

月の盃さす袖も雪を回らす袂かな（謡曲　紅葉狩）

月の船 つきのふね

夜空を海に見たて、月が動いて行くようすを船にたとえたもの。

天の海に雲の波立ち月の船星の林に漕ぎ隠る見ゆ
（万葉集　巻七）

月に磨く つきにみがく

月の光に照らされ、景色がいちだんと美しくなることを月に磨くといい、月に明かすといえば、月を見ながら夜を明かすことをいいます。

峰のま榊埋もれて月に磨ける天の香具山（新続古今集）

うきふしも知らでや今宵月に明かさむ（新古今集）

月に明かす

月の都 つきのみやこ

月の中の仙女の住む宮殿をさしていいます。唐の玄宗が、中秋の夜に月の都の広寒宮に遊んだという故事からきています。月宮殿とも。

見るほどぞしばしなぐさむ月の都ははるかなれども（源氏物語　須磨）

ながめつつ思ふも寂し久方の月の都の明け方の空
（藤原家隆・新古今集）

月宮殿

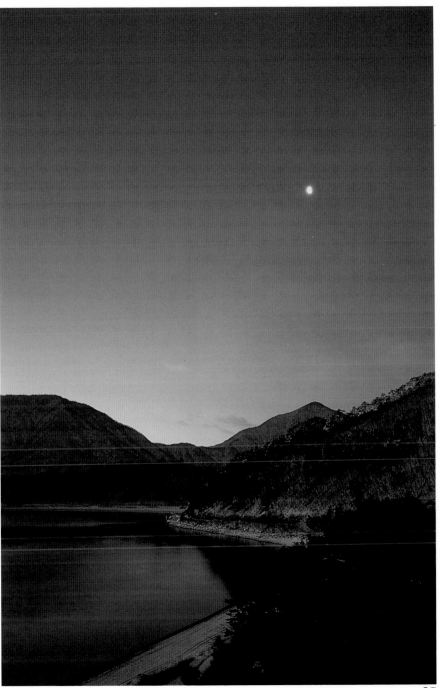

月痕

月色（げっしょく）
月の光、または月の色のこと。同じように月の光をさすものに月気があります。また、名残りの月影、夜明けの月影をさして月痕といいます。

月気　月痕

月の顔（つきのかお）
月、または月の光のこと。月の顔をまともに長い間見たり、月光に照らされながら眠ることはよくないと世界各地でいわれています。日本でも、古くから冥界を支配する神と考えられてきました。平安時代に渡来した、白居易の詩文集『白氏文集』（はくしもんじゅう）に、「月明にたいして往時を思うなかれ。君の顔色を損じ君の年を減ぜん」というのがあります。

月暈（つきがさ）
月の周囲に見える光の輪のこと。月の光が氷の結晶からなる薄い雲（巻層雲）を通るとき、反射や屈折を受けて起こります。半径二三度のものと、四六度のものがあります。暈は太陽にもでき、こちらは日暈（ひがさ）といいます。

暈　日暈

玉兎

玉兎（ぎょくと）
月の中に兎がすむという伝説から、月のことをさします。同じように太陽の中に三足の鳥がいるという想像から、太陽のことを金烏といいます。

金烏

月の顔

月輪（げつりん）
月の異称。月の形が丸く、輪のように見えるところからいいます。また、月、または月の精や神をさします。といえば、月魄、月魄。

月魄　月魄

月の塔

皆既月食

月食 げっしょく

月が地球の影に入り、見えなくなる現象を月食といいます。太陽、地球、月が一直線に並ぶとき、すなわち満月のときに起きます。ただし毎回の満月のときではなく、黄道と白道の交点付近で満月になるときに限られます。

月が地球の**半影**に入ると、太陽の光の一部があたらなくなるため、月の光はわずかに暗くなりますが、ふだんの満月のときとほとんど区別がつきません。**本影**に入って初めて月が欠けて見えます。月全体が本影に入るときを**皆既月食**といい、月が一部しか欠けないときを**部分月食**といいます。

皆既中でも月は完全に見えなくなってしまうわけではなく、地球の大気で屈折された太陽の光がとどくため、赤銅色のにぶい光を放ちます。

月食や日食は、人間に代わって月や太陽が病んでくれるとか、罪悪を背負って龍に呑まれるのだ、というところがあります。静岡や神奈川のある地域では、月食を拝むと病気にならぬとか、月食のとき、たらいに水をくんで拝むと病気が直るといわれています。

半影
本影
皆既月食
部分月食

掩蔽 えんぺい

月が恒星や惑星の前を通って隠す現象のことで、**星食**ともいいます。恒星や惑星が月のうしろに入るときを潜入、うしろから出るときを出現といい、このときの時刻を正確に観測すれば、月の運動や観測地の経緯度を知るのに役立ちます。

星食

月食の原理

牡牛座の皆既月食

月食3　月食2　月食1

月食6　月食5　月食4

月食9　月食8　月食7

2. 夜ノ章

黄昏

夕暮れ（ゆうぐれ）

日が沈みかかって暗くなること。天文学では、日没後、太陽が地平線下七度二一分四〇秒になったときを夕暮れといいます。条件がよければ、三、四等星が見えます。同じように、日の出前に同じ高度に太陽がきたときを夜明けといいます。

夕暮れは雲のはてに物ぞ思ふ天つ空なる人を恋ふとて　（よみ人しらず・古今集）

かれ枝に鳥のとまりけり秋の暮　（松尾芭蕉）

日暮れ
夕暮方
夜明け

春分の夕暮れ

夏至の夕暮れ

秋分の夕暮れ

冬至の夕暮れ

夕虹（ゆうにじ）

夕方にあらわれる虹のこと。夕方に虹が見えると晴天が続くところから、夕虹、百日の早という俚言があります。

夕焼け（ゆうやけ）

日没のとき、西の空が茜色に染まる現象。夕焼けの翌日は晴れになるところから、早めに仕事の支度をしろという意味で、夕焼けに鎌をとげ、と古くからいわれています。そのほか、夕焼け日日和、夕鳶は笠をぬげなどの俚言も。夕方鳩や鳶が鳴いて飛ぶのは晴れのしるし、という意味です。

ぼくね、日の暮れるころが、だいすきなんだよ。きみ、日の沈むとこ、ながめにいこうよ……（サン゠テグジュペリ／星の王子さま〈内藤濯訳〉）

夕日（ゆうひ）

夕方、西に沈もうとする太陽のことで、同じような言葉に入り日、落日などがあります。夕日隠（ゆうひがく）れといえば夕日が沈むという意味のほかに、夕日のあたらないこと、あるいはその場所をさすこともあります。

旅人の袖吹きかへす秋風に夕日寂しき
山のかけはし（藤原定家・新古今集）
沈み果つる入日のきはにあらはれぬ霞め
る山のなほ奥の峰（京極為兼・風雅集）

入り日
落日
夕日隠

夕日

夕日隠

夕
夕方
夕刻
夕さり
夕まし
薄暮
暮れ
暮れ泥む
入相

夕間暮れ（ゆうまぐれ）

日が暮れて夜になるまでのわずかな間のこと。まぐれは目暗。同じような意味合いの言葉に夕方（ゆうがた）、夕刻（ゆうこく）、夕さり、夕まし、薄暮（はくぼ）、暮れ、暮れ泥（なず）む、入相（いりあい）など美しいものが多くあります。

夕されどかどたの稲葉おとづれて蘆のまろやに秋風ぞふく（源経信・金葉集）
入相の声する陰暮れて花の木の間月出でにけり（永福門院・玉葉集）

夕間暮れ

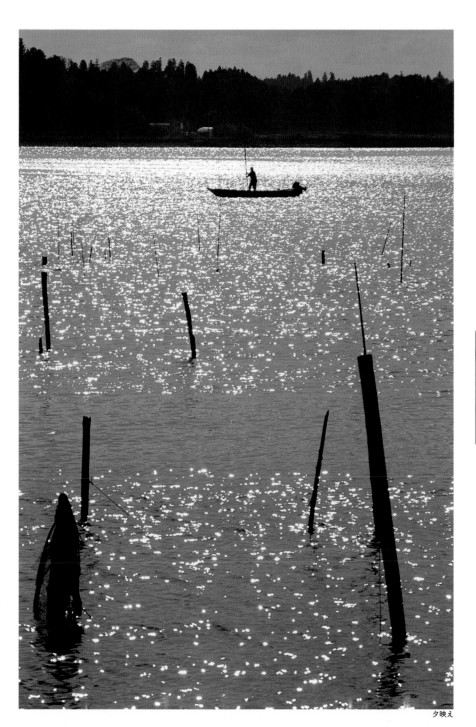

夕映え

夕日影 ゆうひかげ

夕日の光、または夕方の日影のことをいいます。夕日の光を受けて、あたりが──美しく輝いて見えることは**夕映**えです。

波の上に映る夕日の影はあれど遠つ小島は色暮れにけり（京極為兼・風雅集）

夕映え

夕山 ゆうやま

夕暮れに薄墨を流したように見える山を夕山といい、夕日が西山に入ろうとすることを**春づく**といいます。

夕焼けや夕山雉 赤鳥居 （小林一茶）

春づく

夕山

夕明かり ゆうあかり

夕暮れどきに残るほのかな明るさを、夕明かりといいます。**残照**のことです。また、日が落ちたあとの暗さのことは**夕闇**といいます。月が上るまでの間のことです。

残照

夕闇

夕明かり

夕闇

黄昏月と黄昏星

黄昏 たそがれ

夕暮れのうす暗いときのこと。「誰そ彼れ」と、人が見分
けにくいときの意味があります。
黄昏草といえば夕顔、黄昏鳥といえばほととぎすをさし
ます。(38・39)

誰そ彼と問はば答へむ術をなみ君が使ひを帰しつるかも

（万葉集　巻十一）

黄昏草
黄昏鳥

黄昏月 たそがれづき

黄昏どきに西の空にかかる細い月のことで、月齢三、四
の月を意味します。また黄昏星といえば、宵の明星すな
わち金星をさします。

黄昏星

黄道光
こうどうこう

日の入り後、赤く染まった西の空が暗くなりかかるころ、地平線近くから黄道面にそって現れる舌状の淡い光のこと。一月から三月ごろが好期。夜明け前の東の空にも見え、こちらは十月から十一月ごろが好期になります。

黄道光

日の入り

宵
よい

夜のまだ更けないころのこと。同じような言葉に、**宵の口**とか**宵のうち**があります。また、

宵宵
よいよい
宵宵といえば宵ごと、すなわち毎晩のことをさします。

公達に狐化けたり宵の春（与謝蕪村）

人知れぬわが通ひ路の関守は宵ごとにうちも寝ななむ（在原業平・古今集）

宵の口
宵のうち
宵宵

宵闇
よいやみ

陰暦十六日から二十日ごろまでの宵のうちは、月が出ないので暗い。その時のことを宵闇といいます。

すた〵と宵闇かへる家路かな
（飯田蛇笏）

宵闇や草に灯を置く四つ手守
（水原秋桜子）

宵闇

宵月と宵の明星

宵の明星 よいのみょうじょう

夕方西の空に見える金星。**長庚**、黄昏星ともいい、長庚は**夕星**とも書きます。光度はおよそマイナス四等なので、夕方西の空に見えるときは一番星になります。

明星やさくらさだめぬ 山かづら
（榎本其角）

トワイライト

長庚
夕星

宵月 よいづき

宵の間に見える月のことで、宵の間だけ月のある夜のことを宵月夜といいます。また、夕方だけ月のある夜の月を夕月、月のある夕暮れ時や、夕方だけ月のある夜、またはゆうづきよといいます。

夕月夜潮満ち来らし難波江の葦の若葉に越ゆる白波　（藤原秀能・新古今集）

夕月夜島山葛をうちまとひ　（松本たかし）

夕月のそこより闇は拡がりぬ　（馬詰柿木）

宵月夜　夕月　夕月夜

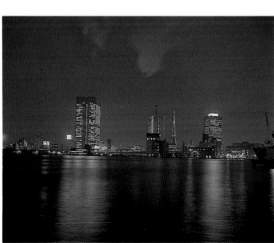

夕月

春宵 しゅんしょう

春の宵のこと。花は盛り、月はおぼろな春の夜のひとときは、千金にもかえがたいすばらしい心地がします。それを言い表した言葉に、春宵一刻価千金があります。

春宵の枕行燈灯を忘る　（飯田蛇笏）

春宵や光り輝く菓子の塔　（川端茅舎）

春宵一刻価千金

夜の帳 よるのとばり

帳は室内に垂れ下げて、目隠しや仕切りに用いる布のこと。すなわち、帳が降りて夜になるという意味で使います。

夜の帳

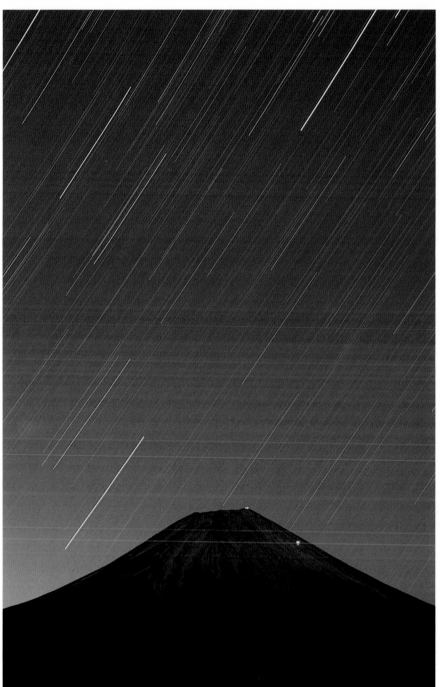

星降る夜

夜 よる

日の入りから日の出までの、太陽の沈んでいる間のこと。夜ともいい、夜を籠むといえば、まだ暗い時分、あるいは夜明け前をさします。

春の夜の闇はあやなし梅の花色こそ見えね香やは隠るる（凡河内躬恒・古今集）

夏の夜の臥すかとすればほととぎす鳴く一声に明くるしののめ（紀貫之・古今集）

秋の夜は宿かる月も露ながら袖に吹きこす荻の上風（源通具・新古今集）

思ひかね妹がりゆけば冬の夜の川風寒み千鳥鳴くなり（紀貫之・拾遺集）

夜
夜を籠む

夜さり よさり

夜のこと。さりは、近づくという意味のさるの連用形。夜さは夜さりのことで、よさこいは、夜さり来いのこと。また、夜さりつつ方も夜や夕方をさします。そのほか夜を表す言葉に暮夜、夜半、夜陰、小夜などがあります。

夜さりもかさねてとひがたみ頼めし夜半はただ更けぞゆく（京極為兼）

夜さ　よさこい　夜さりつ方
暮夜　夜半　夜陰　小夜

夜気 やき

夜の空気、夜の気配のことですが、夜の静かなようすや気持ちなどもさします。

秋の夜や旅の男の針仕事（小林一茶）

秋ひとり琴柱はづれて寝ぬ夜かな（山本荷兮）

夜更け

小夜時雨 さよしぐれ

夜中に降る雨のこと。小夜のつく言葉に、夜どうしは小夜すがら、夜が更けるは小夜更く、真夜中は小夜中、夜に吹く嵐は小夜風などがあります。また、セレナーデは小夜曲ともいいます。

み吉野の山の秋風さ夜ふけてふる里寒く衣うつなり（藤原雅経・新古今集）

やすらはで寝なましものを小夜更けて傾くまての月を見しかな（赤染衛門・後拾遺集）

小夜すがら　小夜更く
小夜中　小夜嵐　小夜曲

夜更け よふけ

夜の深くなること。同様な言葉に深夜、真夜中、更、午夜などがあります。

かささぎのわたせる橋に置く霜の白きを見れば夜ぞ更けにける（大伴家持・新古今集）

深夜　真夜中　更く
深更　更く　午夜

月夜

五更（ごこう）

ひと夜を五つに分けたときの時刻の総称。午後七時から九時ごろまでを**初更**、午後九時から十一時ごろまでを**二更**、午後十一時から午前一時ごろを**三更**、午前一時から三時ごろを**四更**、午前三時から五時ごろを**五更**といいます。

初更
二更
三更
四更
五更

五夜（ごや）

ひと夜を五つに分けたときの時刻の総称で、五更の別の呼び方です。初更を**甲夜**、二更を**乙夜**、三更を**丙夜**、四更を**丁夜**、五更を**戊夜**といいます。

甲夜
乙夜
丙夜
丁夜
戊夜

六時（ろくじ）

一昼夜を六つに分けた時間で、**晨朝、日中、日没、初夜、中夜、後夜**のことをいいます。

晨朝　日中
初夜　中夜　後夜
日中　日没　初

中天（ちゅうてん）｜天心｜

天の中心のことで、**天心**をさします。

賑はえる月中天の一の酉
（林千代子）

月夜（つきよ・つくよ）

月の明るい夜のことをいいます。

「他人おそろし闇夜はこわい、親と月夜はいつもよい」とは、柳田国男の『火の昔』の「やみと月夜」の一節です。

さらに、「他人の中にも恐ろしい人ばかりでなく、よい人はいくらでもあることがだんだんわかってきて、その中から友だちをこしらえていくのですが、やみ夜というちはなんだかみんながこわい人のように思われたのと同じに、やみ夜というものは何もかも恐ろしいように、はじめて親の家を離れて世間に出てきた子供たちは感じておりました。それゆえに灯火のまだ発達しなかった時代には、月夜ほどうれしいものはなかったのであります」と、昔の人にとって、月は太陽とともに生活の重要な一部だったことを記しています。

渡津海の豊旗雲に入り日さし今夜の月夜清明けくこそ
（中大兄皇子）

五色の夜

朧月夜

良夜 りょうや

月の明るい夜、とくに中秋の名月の夜のことをさします。また、いつまでも眺めのよい夜は惜しむべき夜なので、それを**可惜夜**といいます。

あたら夜の月と花とを同じくあはれ知れらむ人に見せばや（源信明・後撰集）

ああ月は美しいな、あのしんとした中空を夏八月の良夜に乗つきつて（ラフォルグ／月光〈上田敏訳〉）

可惜夜

短夜 みじかよ

夏の短い夜のこと。反対に**夜長**といえば秋の夜をさします。

短夜の日本の幅を日本海へ（中村草田男）

夜長さや所も変へず茶立虫（加舎白雄）

あいつらも夜長なるべしそゝり唄（小林一茶）

山鳥の枝踏みかゆる夜長かな（与謝蕪村）

夜長

朧月夜 おぼろづきよ　おぼろづくよ

春の宵などのほのかにかすんだ月を**朧月**といい、その夜のことを**朧夜**とか朧月夜といいます。

照りもせず曇りもはてぬ春の夜の朧月夜にしくものぞなき（大江千里・新古今集）

宿かさぬ人のつらさをなさけにて朧月夜の花の下臥（大田垣蓮月）

言問ひにほろ酔ふ人や月おぼろ（林千代子）

朧月
朧夜

終夜 よすがら

日暮れから夜明けまで、一晩中のこと。よすがらとも。

夜もすがら物思ふころは明けやらで閨のひまさへつれなかりけれ（俊恵法師・千載集）

よすがら

星月夜 ほしづきよ　ほしづくよ

星の光が月のように明るく見える夜のことで、同じような言葉に星夜（せいや）があります。鎌倉坂ノ下に星月夜の井戸（いど）と呼ばれる井戸があり、昼間でも星が見えると伝えられています。

星月夜は暗さを倉に言いかけることから、鎌倉にかかる枕ことばで、謡曲『調伏曽我』に「箱根詣（もうで）てのおんために、明くるを待つや星月夜鎌倉山を朝立ちて」と謡われています。

我ひとり鎌倉山を越行けば星月夜こそうれしかりけれ　（藤原実成娘）

われの星燃えておるなり星月夜　（高浜虚子）

星夜 ─

星月夜

夜寒 よさむ

夜の寒さのこと。とくに、秋の夜の寒さをしみじみ感じることをいいます。

聞きわびぬ八月九日（はづきなづき）長き夜の月の夜寒に衣うつ声　（御醍醐天皇・新葉集）

病雁（やむかり）の夜寒に落ちて旅寝かな　（松尾芭蕉）

糊箱（のりばこ）に躍る鼠（ねずみ）の夜寒かな　（長谷川零奈子）

星の尾根

星野

聖夜 せいや

十二月二十四日のキリスト生誕の前夜のことで、クリスマス・イブともいいます。キリスト誕生の年を紀元一年としていますが、一説にはキリストの誕生日は、それより四年前といいます。キリスト降誕を祝うようになったのは、紀元三六〇年近くになってからで、サタネリアという異教徒が十二月二十五日に祭礼を行ったことから、始めるようになったといいます。今日では日本中に広まり、クリスチャンである無しにかかわらず、正月と合わせて楽しむようになりました。

鎌倉に馬車の往来やクリスマス（久保田万太郎）
降誕祭山上の岩星まみれ（中島斌雄）

── クリスマス・イブ

闇 やみ

夜の暗いこと。光のない状態。闇夜（やみよ）といえば月のない夜をさします。
五月闇短き夜半のうたた寝に花橘の袖に涼しき（慈円・新古今集）

── 闇夜

除夜 じょや

大晦日の夜のこと。江戸時代、祝祭日や将軍の忌日などで刑罰をしないことに定めた日を除刑日、または除日といい、除夜はその言葉からきたものです。

この夜、各寺院でつく鐘を除夜の鐘といい、百八種の煩悩のねむりを覚まさせて、仏道を成ぜさせる、あるいは、百八種の苦薩の徳を讃えてつくものといわれています。

昔は子の刻、いまの午前〇時を一鐘として百八の鐘がつかれましたが、現在は一〇七まで年内につき、最後の一鐘を午前〇時につくように変わりました。

除夜ぐる清しき火種絶やすなく（野沢節子）

── 除夜の鐘

クリスマス・ツリー

夜天光（やてんこう）

夜の自然光のこと。真っ暗闇といえども大気光、黄道光、夜光雲、星野光などのため、微かな明かりがあります。

大気光（たいきこう）

地球の高層大気の発光をいいます。オーロラのような一時的発光とは異なります。大気光の明るさは地球上の場所、日時、空の区域によって変化します。発光層はおよそ地上六〇〜三〇〇キロで、太陽からの放射線によって電離、または分解した大気中の分子、原子が再結合するときに発光します。

星野光（せいやこう）

いわゆる星明かりといわれる、夜のほのかな明かりのこと。たくさんの恒星が集まった光で、各等級のなかでもっとも星野光に寄与しているのは、およそ十一〜十二等星です。また、星空のある一部分を星野といい、それを撮影したものを星野写真といいます。（54）

星野
星野写真

夜光雲（やこううん）

高緯度地方で見られる雲。日没後、または日の出前にあらわれ、青みを帯びて白く輝きます。高層に浮かぶ微粒子のちりが太陽の光を反射したもの。

オーロラ

南北両極付近の上空にあらわれる発光現象。太陽からの帯電粒子が地球の磁力に引きつけられ、地上一〇〇キロ以上で発光します。太陽の活動にともなってあらわれ、形はカーテン状、帯状、弧状などさまざまで、色も赤色、青色、黄緑色などが多く見られます。オーロラは、ローマ神話の曙の女神の名から。

対日照（たいじっしょう）

月のない夜半ごろ、黄道付近に見える淡い光のこと。太陽と正反対にあるところから対日照といわれ、東西が二〇〜三〇度、南北が一〇〜一五度くらいの広がりをもっています。地球の外側の微小天体の群れが日光を反射していると考えられ、その光は天の川より淡いため、観望には秋の夜半が適しています。

日周運動（にっしゅううんどう）

見かけ上の星の動きのことをいいます。地球は一日に一回自転しているため、夜空の星ぼしは地軸を中心に東から西へ、一日周期で回転するように見えます。そのため東西南北の空での星の軌跡は異なります。

東天の日周運動（上るオリオン）

北天の日周運動

西天の日周運動（沈むオリオン）

南天の日周運動（南中するオリオン）

薄明

夜明けの暁

暁 あかつき

夜が明けようとするときで、やや明るくなったころをさします。古くは、今よりも暗いうちをさしたようです。暁は**明時**から転じたもので、夜を宵、夜中、明時の三つに分けたときの三番目にあたります。

ふりはれてこほれる雪の梢よりあかつき深き鳥の初声 （進子内親王 しんし ないしんのう）

あかときの朝霧籠かりがねそ鳴く （万葉集 巻十五）

――明時

暁

暁降

暁降 あかときくだち

夜が更けいって、明け方近くになることをいいます。**暁月夜**はあかつきづきよのことで、有明けの月、または明け方近くの月の見える空の状態をさします。月のない明け方のことを**暁闇**、またはあかつきやみといい、陰暦で毎月の十四日ごろまでの夜明け前をさします。

暁月夜いと面白ければ （土佐日記）

こよひの暁降鳴く鶴の （万葉集 巻十）

――暁月夜
暁闇

朝未き あさまたき

夜の明けきらないころ。またたいていた星ぼしが日の出前のほのかな明かりで、少しずつ消えていく時分をいいます。

また、**朝朗け**も同じように、空がうす明るくなる時分のことをいいます。「あさおぼろあけ」からきた言葉といわれます。

朝ぼらけ宇治の川霧たえだえにあらはれわたる瀬々の網代木（藤原定頼・千載集）

朝ぼらけ有明の月と見るまでに吉野の里にふれる白雪（坂上是則・古今集）

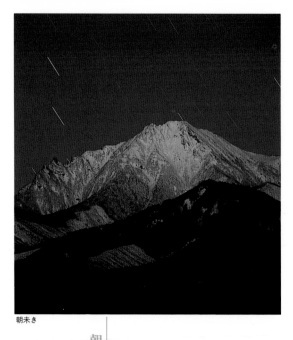

朝未き

朝朗け

有明け ありあけ

月がありながら夜が明けてくることで、十六夜以後の夜明けをさします。江戸後期の国語辞典である『和訓の栞』によれば、「ありあけ、有明の義、十六夜以下は夜は已に明るくに月はなほ入らである故に云ふなり」と記されています。明け方に残っている月を**有明月**、**有明けの月**、**有明け月夜**、**朝月夜**、**残月**といい、月の残っている夜明けの時分を**有明け方**といいます。

冴えわびて覚むる枕に影見れば霜深き夜の有明の月（藤原俊成女）

有明や浅間の霧が膳をはふ（小林一茶）

花の木も緑にかすむ庭の面にむらむら白き有り明けの月（雪玉集）

有明け月
有明けの月
有明け月夜
朝月夜
残月
有明け方

有明け

→明けの明星

→すばる

有明け月 ←

水星 ←

夜明け前

明けの明星 あけのみょうじょう

夜明け前の東の空に見える金星のこと。啓明ともいい、明星、また は赤星とも書きます。明けきらないうちは人の区別がはっきりしな いため、彼は誰星という呼び名もあります。

朝顔や明星澄める置きだらい（亀友）

啓明
明星
赤星
彼は誰星

黎明

朝焼け あさやけ

夜明け前、東の空が赤くなる現象で、暁紅ともいいま す。昔から朝焼けは雨といわれています。

暁紅

明け初める あけそめる

夜がしらじら明けはじめること。同じような言葉に曙、朝明け、東雲、黎明などが あります。

夜明けの太陽の光のことは曙光といい、日の出をさします。

人間ははば見ずとやいはむ玉津島かすむ入江の春のあけぼの（藤原為氏・続後撰集）

吹きしをる四方の草木の裏葉見えて風に白める秋の曙（永福門院内侍・玉葉集）

曙
朝明け
東雲
黎明
日の出

薄明 はくめい

日の出前や日没後、空がうす明るくなる ことをいいます。太陽が地平線下にある のに明るいのは、上層の大気や浮遊する ちりによって光が散乱されるためですが、 太陽が地平線下一八度になると、薄明は まったくなくなります。このときを 天文薄明といいます。（58・59）

天文薄明

明け初める

3.

天ノ章

星時雨(ほししぐれ)

王子さまの星

星 ほし

月をこそ眺め馴れしか星の夜の深きあはれを今宵知りぬる（建礼門院右京大夫・玉葉集）

一般的には太陽、地球、月などをのぞいた天体をさします。広い意味ではすべての天体を含みます。星または星座をさす言葉に、星辰があります。星の種類には恒星、惑星、衛星、流星、彗星などがあります。

耳門出でふるるばかりに冬の星（林千代子）

星辰
恒星
衛星

星座 せいざ

恒星を神話の神、人物、動物、器などに見立てて天球を区分したもの。現在八十八星座が国際的に定められています。星座をあらわす言葉に星宿、星の宿りなどがあります。

天の原ふりさけ見れば七夕の星のやどりに霧立ちわたる（経信集）

天球
星宿
星の宿り

銀河系 ぎんがけい

太陽や多くの恒星などを含む大集団をいいます。凸レンズ状で渦巻き構造をもち、およそ二〇〇〇億個の恒星が集まっているといわれます。直径は一〇万光年で、太陽は銀河系の中心から二・八万光年のところに位置しています。

銀河系の外にあって、銀河系に匹敵する天体を小宇宙、島宇宙、銀河系外星雲、あるいは単に銀河ともいいます。

小宇宙
島宇宙
銀河系外星雲
銀河

天のスクリーン

惑星 わくせい

太陽のまわりを公転する星のことで、自らは光を出していません。太陽に近いほうから水星、金星、地球、火星、木星、土星、天王星、海王星、冥王星の九個が知られています。惑星の名は、星空の中を惑うように位置を変えるところからついたといい、遊星ともいわれています。

地球	ちきゅう
天王星	てんのうせい
海王星	かいおうせい
冥王星	めいおうせい
遊星	ゆうせい

五星 ごせい

中国で古くから知られている、肉眼で見ることのできる五つの惑星のことです。水星を辰星、金星を太白、火星を熒惑、木星を歳星、土星を鎮星といいます。

五惑星の木・火・土・金・水は、中国で古来説かれてきた五行に基づいています。これに日・月を加えたものを七曜といい、さらに、日月の光を覆って食を起こすという羅睺、それに、忽然とあらわれて人びとを脅かす計都という想像上の星を加えて九曜といいます。

辰星	しんせい
太白	たいはく
熒惑	けいこく
歳星	さいせい
鎮星	ちんせい
七曜	しちよう
羅睺	らごう
計都	けいと
九曜	くよう

水星 すいせい

太陽にもっとも近い惑星で、大きさは地球の〇・三八倍しかありません。日没直後の西の空、または日の出直前の東の空に見えます。

一番明るいときの平均の光度はマイナス二・一等ですが、つねに太陽の近くにいるため見るチャンスは多くありません。五行では北方に当たります。辰星の名は「水星は日とともにす。辰その位にあり」で、日光に隠れがちなところからついたといいます。

金星 きんせい

地球のすぐ内側をまわる惑星です。直径は地球よりわずかに小さく、表面は厚い雲に覆われています。太陽の光を効率よく反射するため、平均の極大光度はマイナス四・七等にもなります。

夕方西の空に見えるときを宵の明星、明け方東の空に見えるときを暁の明星と呼びます。金星の名は、五行の西方の色からついたといいます。夕方に見えるとき、鹿児島ではおもしろい呼び名が残っています。夕方に見し（守り星）、沖縄ではユーバナブシ（夕飯星）といい、明け方に見える金星を、静岡では飯炊き星とか大臣星などと呼んでいます。また青森では、朝夕の別なく烏賊星といえば金星をさします。

水星

6　5　4　3　2　欠けゆく金星 I

昼の星 ひるのほし

光輝鋭い金星のこと。位置さえわかっていれば、昼間でも見ることができます。

ひるもなお星見る人の眼にも似るさびしさつかれ早春のたび
（馬場存義）

舞いあがる雲雀やいづこ昼の星
（宮沢賢治）

小游星 しょうゆうせい

金星の衛星（月）のこと。もちろん金星には月はありませんが、文政六年に出版された草野養準の『遠西観象図説』には、「又別ニ小游星アリテコレヲ旋回ス」とあって、金星の月のことが記されています。

十八世紀末まではその存在を信じた天文学者は多く、直径は金星の四分の一、公転周期は一一日五時間一三分、金星からの平均距離は二二万五千マイルと計算しています。

金星

もんりーぼし　ユーバナブシ
飯炊き星　大臣星
烏賊星

火星 かせい

地球のすぐ外側をまわる惑星で、金星に次いで地球に近づきます。地球の約半分の大きさで、二個の衛星をもっています。不気味なほど赤い色をして人を惑わせるところから、江戸時代の辞書『和爾雅』に熒惑（ほのをぼし）、江戸時代の百科辞典、『和漢三才図絵』にはわざわい星と記されています。五行では南方に当たります。

ほのをぼし
わざわい星

火星

牡牛座を行く火星

夏日星 なうひぼし

火星の和名。『梁塵秘抄口伝集』によると、「用明天皇（在位五八四〜五八七年）のころ、難波に土師連という唱歌の名人がいた。ある夜、妙なる声で歌い始めると、屋根の上から、それに合わせて歌うものがあった。驚いて外に飛び出してみると、童子の姿をした夏日星の精だった。土師連が追いかけると、住吉の浦に走り出て海に入ってみえなくなった」とあります。これは熒惑星が、土師連の歌を愛でて人の姿になって歌ったもので、『聖徳太子伝暦』などにも記されています。

西郷星 さいごうぼし

明治の一時期に呼ばれた火星の異称。

明治十年（一八七七年）、西郷隆盛は西南戦争を起こし、政府軍相手に半年あまりにわたって九州を転戦したが力つき、九月二十四日城山で自決しました。実はこの年の九月三日に火星が地球に最接近し、マイナス二・五等の明るさで夜空に不気味に輝いていました。このことから「西郷が死んで星になった」と、当時の絵入り新聞や錦絵に記され、以来、西郷星といえば火星をさすようになったのです。

なおこの年は、火星の近くに土星が〇・五等で光り、十一月には二つの星の間隔が〇度一一分とくっつくように並びました。そこで土星を桐野星と呼びました。

桐野とは、薩摩士族の桐野利秋をさします。

桐野星

小惑星しょうわくせい

太陽のまわりをまわる小天体で、おもに火星と木星の軌道の間にあります。一九九四年現在で軌道が確定している小惑星の数は六〇二八個あります。

木星もくせい

火星の外側をまわる太陽系最大の惑星で、直径は地球のおよそ一一倍あります。平均の極大光度はマイナス三・〇等で、衛星は一六個知られています。歳星と呼ばれるのは、太陽のまわりを一二年で一周し、一年におよそ一星座ごと移動していくため。五行では東方に当たります。

限りなく久しかる可き歳の星君がためどとぞふ光かな（宗時朝臣）

木星

土星どせい

木星の外側をまわる惑星で、輪をもっています。木星に次いで大きく、衛星は一八個知られています。平均密度は水より軽いため、土星が入れるようなプールがあれば浮いてしまいます。平均の極大光度はマイナス〇・六等で、五惑星のなかでは光が暗く、動きも緩慢です。鎮定する意味から鎮星と呼ばれています。

沈む獅子座と木星

→

一列に並ぶ三惑星（左から木星、土星、火星）

土星

流星とすばる

星の嫁入り

彗星　すいせい

輪郭のぼんやりしたガス状の天体で、太陽の引力のもとに運動しています。本体は汚れた氷で、太陽に近づくと長い尾を引くものがあります。尾のある彗星は竹ぼうきに似ているところから、箒星と呼ばれています。

彗星は、おどろおどろしい姿でとつぜんあらわれるところから、昔は不吉の前兆として恐れられ、妖星とも呼ばれました。平安時代には彗星の出現で年号を四回も改め、鎌倉時代の土御門天皇の譲位は、彗星の出現によると伝えられています。

そのほかの彗星の呼び名には、天が穢れを掃くという意味で掃星、その形から鉾星、穂垂れ星、扇星などというのがあります。

箒星
妖星
掃星
鉾星
穂垂れ星
扇星

流星　りゅうせい

惑星空間にただよう微小な宇宙塵が地球に引き寄せられ、大気との摩擦で発光したものをいいます。発光するときの高さは一〇〇〜一三〇キロ、消滅のときは八〇キロぐらいで、平均速度は毎秒五〇キロといわれています。

とくに明るい流星を火球といい、大きなものは地上に落下して隕石。または隕鉄と呼ばれます。

流星の和名には流れ星や夜這い星のほかに、走り星、飛び星、落ち星、星の嫁入り、縁切り星など、おもしろいものが各地に残っています。

流星が消えないうちに、願いごとを三度唱えると願いがかなうと、昔からいわれています。唱えは地方によっていろいろです。

流星の方言、たとえば抜け星と唱えると幸福になれる（岡山）とか、運針のまねをすると裁縫が上手になる（福井）、というように、願いを動作で示すものもあります。北原白秋の『星に関する伝承童謡』には唱えごととして、色臼、髪黒、髪長（福岡）、土一升、金一升（宮城）などが記されています。

星のとぶもの音もなし芋の上（阿波野青畝）
夜這星名を知る山の槍ヶ岳（榎本好宏）

宇宙塵
火球　隕石　隕鉄　流れ星
夜這星　走り星　飛び星　落ち星
星の嫁入り　縁切り星
抜け星

ウエスト彗星

星影

星屑

星影 ほしかげ

星の光、または星明かりをいいます。空気の澄んだ山奥では、木立ちなどが黒々とシルエットになって浮かび上がるほど、星の光が強く感じられます。

曇りなく治まるみ代を人もみな見るとているづる星の影かな（孝能）

───── 星明かり

星空 ほしぞら

晴れて星が見えている空のことで、夜空に散らばっている無数の微光星を星屑といいます。星屑は英語でスターダストです。

───── 星屑　スターダスト

一番星 いちばんぼし

夕方、一番初めに見える星のこと。太陽、月をのぞけばマイナス四等級の金星がもっとも明るい（一等星の一〇〇倍明るい）ので、夕方西の空に見えるときは必ず一番星になります。

一番星

満天の星

煌星 <ruby>煌星<rt>きらぼし</rt></ruby>

美しく輝く無数の星のこと。

今度の早打に上り集まる兵、<ruby>煌星<rt>きらほし</rt></ruby>の如く並み居たり　（謡曲　鉢の木）

糠星 <ruby>糠星<rt>ぬかほし</rt></ruby>

夜空に、糠のように細かく散らばっているたくさんの小さな星のこと。

糠星の影となる身を起伏して（小林一茶）

満天の星 <ruby>満天の星<rt>まんてんのほし</rt></ruby>

空一面にすきまなく光る星のことで、降るような星空のことをいいます。植物で
は、ツツジ科の落葉灌木を<ruby>満天星<rt>どうだん</rt></ruby>と書きます。深夜、王城に召された。暴君ディオニスの面前で、佳
竹馬の友、セリヌンティウスは、二年ぶりで相逢うた。……セリヌンティウスは、縄打たれた。メロ
き友と佳き友は、二年ぶりで相逢うた。初夏、満天の星である（太宰治／走れメロス）
スは、すぐに出発した。

満天星──

星の林

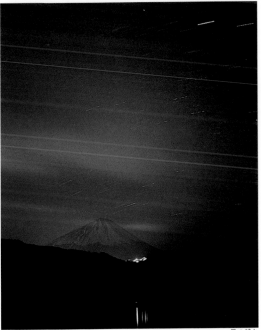

星の紛れ

星の林 ほしのはやし

星がたくさん集まっているのを、林にたとえたものです。

天の海に雲の波立ち月の船星の林に漕ぎ隠る見ゆ（万葉集　巻七）

星の紛れ ほしのまぎれ

星の光のおぼろなことをいいます。とくに春の宵など、切れ切れに淡い雲が流れていると、星の光がはっきりしません。

星の紛れに雲ぞ分るる（拾遺愚草員外）

星のささやき ほしのささやき

東シベリヤのヤクートでは、厳冬期、氷点下五〇度に下がることがあります。大気中の水分は結晶となって霧氷が発生しますが、人の吐く息さえも凍ってしまいます。そのときかすかな音がするそうです。これを星のささやき、といっています。

一方、北海道の北母子里では、ダイヤモンドダストのことを天使のささやき、と呼んでいます。

ダイヤモンドダスト　天使のささやき

天の川 <small>あまのがわ</small>

微光の星が天球を一周して、淡く光る川のように見えるところから天の川と呼ばれています。銀河系の内部にいる私たちからは、銀河系の星がこのように見えます。

古代の人は天の川を空に流れる川と考えました。たとえば、エジプトではナイル川が天の川に続いていると考え、天のナイルと呼んでいました。同じように、バビロニアでは天のユーフラテス、インドでは天のガンジスに結びつけていました。また中国では、**銀河**とか**銀漢**と呼んでいます。

一方、天の川を天の道と考えた民族も多くいました。たとえば、死んだ人の魂が天国へ行く道だと考え、アメリカインディアンは**魂の道**、スウェーデンでは**冬の道**と呼んでいます。英語では**ミルキー・ウェイ**（乳の道）といいますが、これはヘラクレスが赤ん坊のとき、女神ヘラの乳房をあまり強く吸ったため、乳がほとばしって空にかかり、天の川になったというギリシア神話に基づいています。

――天のナイル　天のユーフラテス　天のガンジス　銀河　銀漢　魂の道　冬の道　ミルキー・ウェイ

美しや障子の穴の天の川　（小林一茶）

打ちたゝく駒のかしらや天の川　（向井去来）

天の河浮津の波音騒くなりわが待つ君し船出すらしも　（万葉集　巻八）

夏の天の川

南天の天の川

冬の天の川

星祭り_{ほしまつり}

密教で招福、厄除けのために、当人の生年にあたる本命星と当年星を祭り供養するもので、星供ともいいます。また、七夕祭をさすこともあります。

夕顔も寝る約束ぞ星祭　（千代）

星供

七夕の天の川

七夕_{たなばた}

五節句の一つ。織女星と牽牛星が年に一度逢うという七月七日の夜、星を祭る年中行事をいいます。中国の乞巧奠と、日本のたなばたつめの信仰が習合したものといいます。日本には奈良時代に宮中の儀式として伝わり、江戸時代に民間に広がりました。五色の短冊に歌や字を書いて青竹に飾りつけ、書道や裁縫の上達を祈ります。

七夕や秋を定むる初めの夜（松尾芭蕉）

織女星　牽牛星　たなばたつめ

星の船_{ほしのふね}

織女と牽牛が乗る天の川の船をいいます。

伝説では、七月七日に二人が逢うのですが、雨が降れば天の川は水かさを増し、織女は牽牛のもとへ行くことができません。この夜は上弦の月ですが、月の船人はつれなく、織女を乗せてくれません。織女が悲しんでいると、かささぎの群れが飛んできて、翼を広げて橋をつくり、織女を向こう岸に渡してやるのだといいます。

なお、星合いは織女と牽牛の出会い、星の契りは織女と牽牛の契り、そして星の別れは織女と牽牛の別れをいいます。

肌寒きはじめや星の別れより（中川乙由）

星合い　星の契り　星の別れ

織女と牽牛

星の位 ほしのくらい

平安時代以後、清涼殿の南面の殿上の間に入ること
を許された人、あるいは宮中に列する公卿や殿上人
のことをいいます。一方江戸時代、大坂新町の遊女
をさして、月の位と称したといいます。

大空に正しき星の位もて治れる世の程を知るかな
（花山院師兼）

月の位──

妖霊星 ようれいぼし　ようれいぼし

天王寺のや、妖霊星を見ばやとぞ囃しける（太平記
巻五）

あやしい星のことですが、弱法師の当て字といわれ
ます。

弱法師はよろよろした法師のことで、観世元雅作の
能の一つになっています。讒言により、わが子俊徳
丸を追い出した高安通俊は、天王寺で功徳のため僧
や貧しい人に施しをし、目が不自由な弱法師となっ
た俊徳丸と再会する話です。

日食 にっしょく

地球から見て、月が太陽を覆い隠す現象をいいます。太陽
の縁が輪のように残る金環食、太陽の一部分が隠れる部分日食があります。太陽が完全に隠れる皆既日食、太陽

欠けながら沈む太陽

金環食

皆既日食

皆既日食　金環食　部分日食──

二十八宿（にじゅうはっしゅく）

中国で、黄道付近の天球を二十八に分けた星宿（星座のこと）をいいます。

二十八に分けたのは、月が恒星に対して天を一周するのに二七・三日かかり、およそ一日に一宿ずつ、月が西から東へ宿をかえていくことを表現したものといわれます。各宿には、距星という基準となる星が定められています。

中国では、東を青竜、西を白虎、南を朱雀、北を玄武の四神に分け、さらにそれぞれを七分しています。

距星
青竜
白虎
朱雀
玄武
四神

二十八宿神形圖巻（大阪市立美術館蔵）より

二十八宿一覧

東方七宿 宿名	音読み	訓読み
角	かく	すぼし
亢	こう	あみぼし
氐	てい	ともぼし
房	ぼう	そいぼし
心	しん	なかごぼし
尾	び	あしたれぼし
箕	き	みぼし

西方七宿 宿名	音読み	訓読み
奎	けい	とかきぼし
婁	ろう	たたらぼし
胃	い	えきえぼし
昴	ぼう	すばるぼし
畢	ひつ	あめふりぼし
觜	し	とろきぼし
参	しん	からすきぼし

北方七宿 宿名	音読み	訓読み
斗	と	ひつきぼし
牛	ぎゅう	いなみぼし
女	じょ	うるきぼし
虚	きょ	とみてぼし
危	き	うみやめぼし
室	しつ	はついぼし
壁	へき	なまめぼし

南方七宿 宿名	音読み	訓読み
井	せい	ちちりぼし
鬼	き	たまおのぼし
柳	りゅう	ぬりこぼし
星	せい	ほとおりぼし
張	ちょう	ちりこぼし
翼	よく	たすきぼし
軫	しん	みつかけぼし

黄道

こうどう

地球は太陽のまわりを公転していますが、地球からは太陽が天球上を西から東に向かって、一年かかって一周しているようにみえます。この見かけの太陽の通り道を、黄道といいます。

黄道帯

黄道十二宮

こうどうじゅうにきゅう

黄道帯を、春分点から黄道にそって三〇度ずつ十二等分したものをいいます。各宮を通る太陽を観測して、暦や季節を知るのに役立てました。

黄道星座

こうどうせいざ

黄道帯にある星座をいいます。黄道十二宮と同じように、古くから十二星座が重要視されてきました。

しかし現在は、歳差という地球の首振り運動のため春分点が西に移行し、ほぼ一宮ずれてしまいました。そのため、春分点のあった白羊宮は牡羊座ではなく、魚座になっています。黄道十二星座は、次のような歌にすると覚えやすくなります。

おひつじ、おうし、その次に、並ぶはふたご、かにの宿、狂えるししと、おとめ子に、傾くてんびん、這うさそり、弓もついてに、やぎ叶び、みずがめの水に、うおぞすむ。

なお、黄道十二星座に含まれていませんが、黄道が通っている星座に蛇遣座があります。

黄道十二宮と黄道十二星座

宮名	読み	記号	春分点からの角度	星座名	読み	現在の春分点からの角度	掲載頁
白羊宮	はくようきゅう	♈	0度〜30度	牡羊座	おひつじざ	26度〜50度	152
金牛宮	きんぎゅうきゅう	♉	30度〜60度	牡牛座	おうしざ	50度〜82度	162
双子宮	そうしきゅう	♊	60度〜90度	双子座	ふたござ	82度〜116度	103
巨蟹宮	きょかいきゅう	♋	90度〜120度	蟹座	かにざ	116度〜136度	106
獅子宮	ししきゅう	♌	120度〜150度	獅子座	ししざ	136度〜172度	90
処女宮	しょじょきゅう	♍	150度〜180度	乙女座	おとめざ	172度〜215度	100
天秤宮	てんびんきゅう	♎	180度〜210度	天秤座	てんびんざ	215度〜235度	108
天蝎宮	てんかつきゅう	♏	210度〜240度	蠍座	さそりざ	235度〜262度	121
人馬宮	じんばきゅう	♐	240度〜270度	射手座	いてざ	262度〜295度	138
磨羯宮	まかつきゅう	♑	270度〜300度	山羊座	やぎざ	295度〜320度	143
宝瓶宮	ほうへいきゅう	♒	300度〜330度	水瓶座	みずがめざ	320度〜352度	144
双魚宮	そうぎょきゅう	♓	330度〜360度	魚座	うおざ	352度〜26度	145

獣帯 じゅうたい

黄道帯には動物の星座が多くあるところから、この名で呼ばれるようになりました。黄道を中心にして南北八度ずつの範囲をいい、太陽・月・惑星はこの中を移行し、はみ出ることはありません。古代バビロニアやエジプトなどでは、これを一二に等分しました。

UFO ユーフォー

空飛ぶ円盤と混同されていますが、本来は未確認飛行物体のことをいいます。

一九四七年、アメリカの実業家ケネス・アーノルドは、ワシントン州カスケード山脈上空を自家用機で飛行中、直径一五メートルほどの皿型の物体九個を目撃しました。その物体はこの世のものとは思えないスピードで飛び去ったといい、フライング・ソーサ（空飛ぶ円盤）と名づけられました。

一方、アメリカ空軍は、一九五二年に未確認のあらゆる飛行物体を、UNIDENTIFIED FLYING OBJECT の頭文字をとって、UFOと呼ぶことにしました。正体がわからなければ、鳥でも飛行機でも未確認飛行物体ですが、いつの間にかUFOイコール、空飛ぶ円盤になってしまいました。ユーエフォーとも。

星占い ほしうらない

星の位置や運行を基準にして運勢や吉凶を占うことで、占星術ともいいます。

昔は、惑星の動きが神秘的で説明が困難だったため、国家や王家、のちには個人の運命に関係があるように思われ、星占いに結びつきました。

占星術

夜間飛行

春の星空

4月初旬　23時
4月中旬　22時
5月初旬　21時
5月中旬　20時

hとχ

カシオペヤ

ペルセウス

北極星

きりん

カペラ

ぎょしゃ

α

β

おおぐま

ふたご

カストル

やまねこ

ポルックス

γ

こじし

γ π

プレセペ

δ

しし

β

かに

α

レグルス

こいぬ

β

コップ

うみへび

α

（らしんばん）

（とも）

ポンプ

アルゴ

（ほ）

黄道

オリオン

プロキオン

いっかくじゅう

シリウス

おおいぬ

★星のスペクトル

● O型とB型
● A型とF型
　G型
● K型
● M型

大熊座

大熊座 おおぐま

北の空をまわる大きな星座。五月上旬の夜八時ごろ、北極星の上で熊が逆様になって見えます。

ひしゃくの形をした北斗七星は古くから熊の姿や車に見られ、古代バビロニアでは「大きい車」、ギリシアの詩人ホメロスは、『イリアス』と『オデュッセイア』のなかで「車とも呼ばれる熊」と記しています。そのほかエジプトでは「オシリスの車」、イギリスでは「アーサー王の車」とか「チャールズの車」、北アメリカのインディアンは「熊」、中国では皇帝が乗る車に見立てて、「帝車」と呼びました。

ヘラの嫉妬によって熊に変えられた姿といいます。

神話によると、ゼウスに愛されたカリストというニンフ（妖精）が、ゼウスの后

わが一張羅の半ズボンにやぶかい穴があいていた。
わが宿は大熊星座。
大熊座の星々はやさしくささやき、ざめいていた（ランボー／わが放浪〈中原中也訳〉）

ねくりながら歩いていた。
空想好きなちび、このおれは韻をひ
さめいていた　（ランボー／わが放浪
〈中原中也訳〉）

北斗七星
ほくとしちせい

大熊座の一部分で、熊の腰からしっぽにあたる星の並びをいいます。中国名で、推古時代に陰陽道、天文暦術とともに百済から伝わりました。手座の南斗六星に対して名づけられた中国名で、推古時代に陰陽道、天文暦術とともに百済から伝わりました。

ひしゃくのマスの先のβ星からα星を結び、そのまま、その長さの五倍延ばしたところに北極星があります。

ひしゃくのマスの四星はマスの先から順にα星を貪狼、β星を巨門、γ星を禄存、δ星を文曲、ε星を廉貞、ζ星を武曲、η星を破軍と名づけられています。

一方アラビアでは、α星をドゥベー(熊の背)、β星をメラク(腰)、γ星をフェダ(太股)、δ星をメグレズ(尾のつけ根)、ε星をアリオト(意味不明)、ζ星をミザール(帯)、η星をベナトナシュ(泣き女の長)といいます。(88)

柄の三星を斗柄といい、個々の星はマスの星からβ星を斗魁、柄の三星を斗柄といい、個々の星はマス

斗魁	斗柄
貪狼 巨門 禄存 文曲	廉貞 武曲 破軍
ドゥベー メラク フェダ メグレズ	アリオト ミザール ベナトナシュ

　　声澄みて北斗にひびく砧かな　(松尾芭蕉)
　　咲梅や南枝北斗の星の影　(野々口立圃)

柄杓星
ひしゃくぼし

北斗七星の和名で、七つの星の形を素朴に言い表しています。そのほか柄杓の柄、杓子星、桝星、酒桝などの名で各地で呼ばれています。

柄杓の星 杓の柄
杓子星 桝星 酒桝

北極星を探す

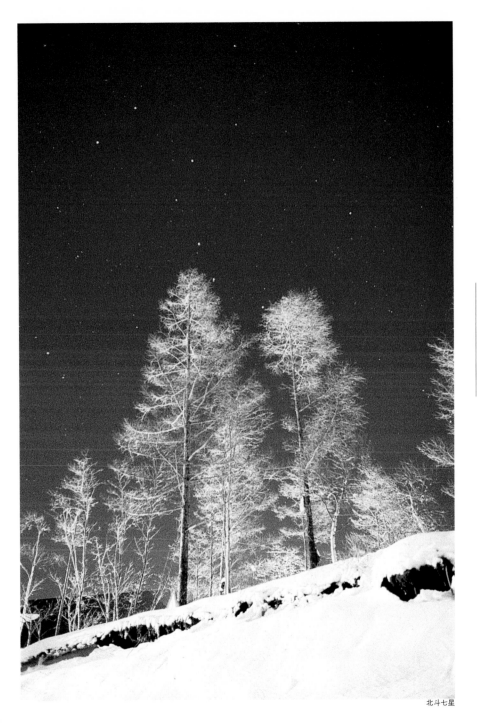

080

北斗七星

七曜の星 しちようのほし

日・月・五惑星（火星・水星・木星・金星・土星）から出た、陰陽道・仏教による北斗七星の別名です。

江戸中期の老中、田沼意次の家紋は七曜でした。彼は、志が厚いか薄いかは贈り物の多少ではっきりする、という賄賂哲学をもち、子の意知とともに政権をほしいままにしましたが、家斉が第十一代将軍になると失脚しました。そのとき巷では、「金とて　まつる北斗の七曜　わが身の罪のあたる剣先」という、諷刺の戯歌があらわれたといいます。

七つ星 ななつほし

君が代は七つの星のためにして移らぬ程を空に知るかな（衣笠内大臣）

これも北斗七星の和名で、オリオン座の「三つ星」、すばるの「六連星」のように、七つ星が並んでいるところからいったものです。

小唄の『松の葉』に、「星になりたや七夜の星に、橋は紅葉の色深く、懸けて願ひの絲の縁」と唄われているように、七夜の星の呼び名もあります。

夜や寒し七つの星のすむかたもむかへる我も衣うつなり（和漢朗詠集）

――七夜の星

舵星 かじぼし

北斗七星の七つの星を、和船のかじに見立てた呼び名です。また、ひしゃくのマスの先のα星とβ星を除いた五つ星を船の形に見立てた、船星の呼び名もあります。沖縄ではフニブシ、ウフナーブシと呼ばれています。

――船星　フニブシ　ウフナーブシ

四三の星 しそうのほし

七つの星をサイコロの目に見立て、マスの四星と柄の三星に分けた北斗七星の和名です。

オリオン座をさすこともあります。

空さえ曇りたれば四三も見えず、唯長夜の闇に迷ひける（義経記）

七つ星の動き

破軍星 はぐんせい

北斗七星の七番目の η星の呼び名。柄の先端にあるところから、陰陽道では剣先に見立て、その方角を万事に凶として避けました。北斗七星全体を七星剣といい、この星を剣先星ともいいます。

中国では、この星に向かって軍を進めると、戦に破れると伝えられています。

一方アラビア名は、ベナトナシュ（泣き女の長）という妙な名がついています。ひしゃくのマスを柩に見立て、柄の三つの星が柩のまわりで泣きわめく女たちにあたります。 η星はその「リーダー」というわけです。

鑓梅の枝や剣さきのあまつ星（安原貞室）

――七星剣　剣先星――

アルコル

北斗七星のζ星ミザール（二等星）に、くっつくように見えるg星（四等星）のアラビア名。アラビア語のアル・カワール（微かなもの）が語源といいます。またアラビアでは、古くからこの星が視力検査に用いられたところから、アル・サダク（テスト）とも呼ばれました。春分の日に家族そろってこの星を見ると、さそりや蛇の禍から逃れられるといい伝えられています。

アル・サダク

ミザールとアルコル

輔星 ほせい

アルコルの中国名で、日本ではそえぼしと呼ばれています。安土桃山時代から江戸時代初期の後陽成天皇（一五七一〜一六一七）が自ら描いたという『御宸翰星の図』に、ソヘボシの名が見られます。

そえぼし

四十グレ ししゅうグレ

アルコルの和名です。四十歳を過ぎると視力が落ち、ミザールとアルコルの見分けがつかなくなるところからこの名がつきました。蠍座のμ星、ν星も同じ名で呼ばれています。

獅子座 ししざ

一等星レグルスを含む黄道第五番目の星座で、四月下旬の夜八時ころ南の空高く見えます。裏返しのクエスチョンマークの星列が目印で、古代バビロニアでは大きな犬の姿に見られ、ウル・グルラと呼ばれました。獅子の姿に見られるようになったのは、後期バビロニアからといいます。

神話によるとこの獅子は、ネメアの森にすむ人食いライオンで、怪力ヘラクレスに退治されたといいます。

獅子座

糸かけ星

糸かけ星 いとかけほし

嘆く心は曇れども、曇らぬ空の星月夜、あらまほしやという星も、年に一度の契りぞや。たとえば雲の上とても、天の河原を隔てなば、人のつらさに変らじな。糸かけ星のほそぼそと、付き添い星や妬むらん

紀海音といえば、竹本座の近松門左衛門に対抗した江戸中期の浄瑠璃作家として知られています。近松の『心中宵庚申』の向こうを張って、豊竹座で『心中ふたつ腹帯』を興行し、紀海音が『道行星の数』に書いたのが、冒頭の星づくしです。

ここに記されている糸かけ星は、獅子座全体を糸繰車に見立てたものです。

獅子の大鎌 ししのおおがま

── ライオンズ・シックル
── ザ・シックル

獅子の頭部を形づくる六つの星列をいいます。クエスチョンマークを裏返しにしたような形をしており、草刈り鎌のように見えるところから呼ばれています。

獅子の大鎌を英語でライオンズ・シックルといい、ザ・シックルといえば獅子座をさします。

軒轅

軒轅 けんえん

獅子の大鎌と、その北に連なる星の並びをいいます。

軒轅とは古代中国の黄帝の異名で、長く並んだ星列を竜の背にまたがる黄帝に見立てたものです。竜が天に舞い上がろうとすると、家臣たちは先をあらそって竜のひげにつかまりました。けれども、大勢ぶら下がりすぎたため竜のひげは抜け、家臣たちは大地に落ちてしまいました。竜はなおも昇り続け、天に昇った軒轅は星になったといいます。

獅子の大鎌

樋掛け星 とかけぼし

獅子の大鎌が、雨樋を支える金具に見えるところからついた和名です。岐阜県揖斐地方や京都府の舞鶴市あたりで呼ばれています。

酒星 さかぼし

おぼろ夜には見つけにくいのですが、獅子の大鎌の柄のすぐ西に微かな星が三つ、たて一文字に並んでいます。これを酒屋の旗に見立てて酒星と呼んでいます。

酒星を見に出て蛙聞く夜かな（加舎白雄）

レグルス

――コル・レオニス（獅子の心臓）

獅子座α星につけられた固有名で、小さい王という意味があります。ラテン語のレックス（王）からきた言葉で、地動説で有名なコペルニクスが名づけました。

レグルスは黄道上に位置するただ一つの一等星で、古くはギリシアでバシリスコス（王者らしきもの）といわれ、のちにアラビア名でアル・マリキ（王の星）と呼ばれました。また別名を、その位置からコル・レオニス（獅子の心臓）ともいいます。

獅子座と小獅子座

デネボラ

獅子座β星につけられた固有名で、アラビア語のアル・ダナブ・アル・アサド（獅子の尾）が語源といいます。

レグルス

――レオニズ　流星雨――

獅子座流星群 ししざりゅうせいぐん

毎年十一月十七日前後を頂点としてあらわれる流星群で、レオニズとも呼ばれます。一時間あたり平均一〇個の流星が飛びますが、圧巻は三三年ごとに見せる流星雨です。

とくに一八三三年のときは、アメリカ・ノースカロライナ州の農場で、一晩に二四万個の流星が飛び、「世界が火事だ」「まるで雪が降っているようだ」「世界の終わりだ」と口々に叫んだといいます。

獅子座の流星群だ‼　十一月という天の花火師が手にいっぱいに金の穀粒をつかんで夜の中に投げる・・・そうだ、あれは一星座の破片だ。破壊された一世界、――獅子座の勇ましい塵だ（ロマン・ロラン／獅子座流星群《片山敏彦訳》）

烏座 からすざ

五月下旬の夜八時ごろ南中する星座で、いびつな四辺形を描いています。神話によると、この鳥はアポロンの使いで、翼は銀色に輝き、人の言葉が話せたといいます。しかし、嘘をついた報いで翼は黒くなり、ただ、カーカーと鳴くだけになったそうです。

四つ星 よっぼし

烏座の和名で、四つの星がゆがんだ台形を描くところから呼ばれています。そのほかにも、その形から四星、台確星、枕星、鞍掛け星、袴星などの呼び名もあります。

　　　　四星　　台確星
　　　枕星　　鞍掛け星
　　袴星

烏座

皮張り星 かわはりぼし

東京の奥多摩地方に残る烏座の和名です。捕らえたむじなの皮をはぎ、四隅に釘を打ちつけて乾燥させた姿に見立てました。

烏座と南十字星

スパイカズ・スパンカー

軫宿 しんしゅく

烏座の中国名で、二十八宿の一つ。軫は車の後部についている横木のことをいいます。

アルキバ

烏座α星につけられた固有名で、アラビア語のアルキバ（テント）が語源といいます。四つの星を砂漠に張ったテントに見立てたものです。

帆かけ星──

スパイカズ・スパンカー

烏座の四つの星は、大きな帆船の帆の形をしています。英語でスパンカーといい、帆の上の二つの星（γ星からδ星）を結びそのまま延長すると、乙女座の一等星スピカ（スパイカ）にとどきます。イギリスではそれを、スパイカズ・スパンカーといっています。

日本では、石川県能登地方に帆かけ星の名が残っています。
……私は西へつづいているこの広い路を南に折れた時、正面に小さな帆の形に見える星座を指して、それは烏座であると教えた時、まあ可哀相にといって彼女は声を立てて笑った（稲垣足穂／山風蠱）

早春の宵

牛飼座

麦星

牛飼座
うしかいざ

アルクトゥールスを含む熨斗形をした星座で、六月下旬ごろほぼ頭の真上に見えます。牛飼いの正体ははっきりはしませんが、一説では、母の変身した姿とは知らずに、大熊をかりたてている息子のアルカスといわれています。アルカスはその後、このようすをあわれに思ったゼウスにより小熊にされ、天に上げられて小熊座になりました。

アルクトゥールス

牛飼座α星につけられた固有名です。光度は一等星の一クラス上の〇等星で、梅雨の晴れ間に、ほぼ頭の真上でオレンジ色の光を放っています。ギリシア語のアルクトゥロス（熊の番人）が語源といいます。

されど、オーアリオーン（オリオン）とセイリオス（シリウス）の星と中空に来り、ばらいろの指の東明にアルクトゥロスの星を見なば、ペルセスよ、すべての葡萄の房を剪みどりて運び帰るべし（《シオドス／農作と日々》

霧氷とアルクトゥールス　　↑

大角 だいかく

アルクトゥールスの中国名です。蠍座を巨大な青竜に見立て、二本の角がアルクトゥールスと、乙女座のスピカに達すると想像したところからついた名です。スピカのほうは角といいます。

角

五月雨星 さみだれぼし

梅雨空にほぼ頭の真上でまたたくところからついた、アルクトゥールスの和名です。似たような呼び名に、雨夜の星があります。

雨夜の星

狗賓星 ぐひんぼし

赤く輝く（実際にはオレンジ色に近い）アルクトゥールスを、赤ら顔した天狗に見立てた呼び名です。奥美濃地方などに残っています。

昔の人は、枝が傘のように出っぱっている傘松に明滅する光（星）を、天狗の精と信じました。

麦星 むぎぼし

麦の刈り入れのころ、アルクトゥールスは頭上に輝くところからこの名がつきました。この星のオレンジ色も麦の穂を連想させました。似たような和名に、麦刈り星、麦熟れ星などがあります。

麦星の豊の光を覚しけれ（楊水）

麦刈り星　麦熟れ星

乙女座 おとめざ

一等星スピカを含む大きな星座で、右に寝そべった「Y」字形をしています。右下の枝先の四等星はβ星で、秋分の日に太陽はこの近くにやってきます。黄道第六番目の星座として知られ、六月初旬の夜八時に南の空に見えます。

神話では、東隣りにある天秤を使って人間の正義や邪悪を量った正義の女神アストレア、あるいは農業の女神デメテル、さらにデメテルの娘ペルセポネといわれています。

乙女座

スピカ

乙女座α星につけられた固有名です。ラテン語でとげとげした穀物の穂を意味し、星座絵では女神が手にした麦の穂のところに光っています。これから判断すると乙女座は、農業神の娘である農作の女神がふさわしい気がします。

真珠星 しんじゅぼし

スピカの和名で、純白に輝くこの星の光が、清純な印象を与えたところからついたものです。春の夜更けに南にやってくる空の宝玉を言い表しています。

春の夫婦星 はるのめおとぼし

オレンジ色に輝く男性的なアルクトゥールスと、純白に輝く女性的なスピカを一つのカップルに見立てた呼び名です。

春の大曲線
はるのだいきょくせん

北斗七星のひしゃくの柄のカーブにそって延長すると、アルクトゥールスとスピカにとどきます。この大きなカーブを春の大曲線といいます。

アルクトゥールス↓ 　　　　↓スピカ

春の大曲線

春の夫婦星

春の大三角
はるのだいさんかく

獅子座のデネボラに乙女座のスピカ、牛飼座のアルクトゥールスを加えてできる大きな三角形をいいます。この三つの星に、さらに猟犬座のα星コル・カロリ（チャールズの心臓）を加えてできる菱形を、春のダイヤモンドと呼んでいます。

コル・カロリ
春のダイヤモンド

春の大三角と春のダイヤモンド

髪座 <ruby>かみのけざ</ruby>

五月下旬の夜八時ごろ、ほぼ頭の真上にやってくる星座で、獅子座と牛飼座の間にあります。星の少ないところですが、目が慣れるとメロット一一一と呼ばれるV字形の星の群れが春霞のように見え、はっとさせられます。星が少ないのは、銀河の北極に位置しているためで、髪座に大望遠鏡を向けて写真を撮ると、おびただしい数の小宇宙が写し出されます。そのためこのあたりは、**宇宙ののぞき窓**と呼ばれます。

宇宙ののぞき窓

猟犬座と髪座

ベレニケの髪の毛座
ベレニケのかみのけざ

髪座は、古くはベレニケの髪の毛座と呼ばれました。ベレニケは紀元前三世紀ごろ、エジプトを治めていたマケドニア王朝のプトレマイオス三世の王妃で、髪の毛が美しいことで知られていた実在の人物です。

ある年、王がシリアとの戦いに出征するとき、ベレニケは夫の身を案じ、女神アフロディテの神殿で、「夫に勝利を与えてくださるなら、私の髪の毛を捧げます」と誓いました。祈りは通じて王が凱旋すると、ベレニケは髪の毛を切り神殿に捧げました。翌日、この髪の毛が消え失せると、王に仕える宮廷天文官コノンは、「王妃の心と髪の毛を愛で、大神ゼウスが星座に加えました」といって、夜空を指したと伝えられています。

ベレニケの祈り

猟犬座 りょうけんざ

牛飼いの連れた、アステリオンとカーラという二匹の猟犬をかたどった星座。六月の初旬の夜八時に、三等と四等の二つの星が北天高く見えます。

双子座 ふたござ

双子の兄弟をかたどった星座で、二つ並んだカストルとポルックスの輝星が目につきます。黄道第三番目の星座として知られ、三月初旬の夜八時ごろほぼ頭の真上に見えます。

神話によると、双子の兄弟は乗馬やボクシンクが達者で、ともに多くの冒険で大活躍をしました。兄が死ぬと弟は不死身の身体を分けてやり、一日おきに神の世界と人間の世界で仲良く暮らしたといいます。(104)

カストル

双子座α星の固有名。ギリシア語のカストルをラテン語化したもので、双子の兄にあたります。光度は二等星。

ポルックス

双子座β星の固有名。ギリシア語のポリュデウケスをラテン語化したもので、双子の弟にあたります。光度は一等星。

カストルとポルックスは大神ゼウスの子供であるところから、ゼウスの息子たちという意味でディオスクロイとも呼ばれます。

── ディオスクロイ──

川辺で遊ぶ双子

双子座

二つ星 ふたつぼし

二つ並んだカストルとポルックスの和名で、いかにも素朴な呼び名といえます。また、白色のカストルと、オレンジ色のポルックスから、白色のカストルと、オレンジ色のポルックスからついた呼び名に、金星銀星があります。星空のきんさん、ぎんさんです。

金星銀星

金星銀星

蟹目 かため

仲良く並んだカストルとポルックスは、古くから動物の目に見られていました。日本では蟹目とか蟹の目のほかに、犬の目 猫の目、目玉星 眼鏡星 両眼星 睨み星などの名で呼ばれています。

一方、北欧のゲルマン民族は巨人の目に見立てています。

蟹の目
犬の目
猫の目
目玉星
眼鏡星
両眼星
睨み星
巨人の目

兄弟星 おとえぼし

これもカストルとポルックスの和名で、二つの星を兄弟に見立てたものです。また、曽我兄弟の五郎・十郎の名も静岡地方に残っています。

五郎・十郎

門杭 かどぐい

旧正月のころの夜更け、カストルとポルックスは西に傾き、直立して柱のように見えます。これが門飾りをする杭に見えるところから、門杭と呼ばれています。

冬の星座と並ぶ双子座は、冴え渡る夜空に華やいだ光を放っています。そのほか門星、松杭、あるいは餅食い星、雑煮星などの名もあります。

門星　松杭
餅食い星　雑煮星

蟹座

セント・エルモの火 セント・エルモのひ

嵐が近づくと、雷雲のような電気を帯びた雲の影響で、帆船のマストの先端などに青白い光が見えることがあります。これをセント・エルモの火といいます。

古代・中世の地中海の船乗りたちは嵐の夜、セント・エルモの火が出るとカストルとポルックスの名を呼んだといいます。すると不思議に嵐はおさまり、海は静かになったところから、双子は地中海地方で航海の守り神と崇められるようになったと伝えられています。

セント・エルモは船乗りの守護聖人である、聖エルモからついた名です。

蟹座 かにざ

明るい星はありませんが、黄道第四番目の星座として古くから知られています。蟹の甲羅を形づくる四つの星が、獅子の大鎌とカストルとポルックスの間にあります。三月下旬の夜八時ごろ南の空高く見えます。

鬼宿 きしゅく

蟹の甲羅にあたるγ、δ、η、θの四つの星の中国名です。地上に残った死者の精霊を表しているといいます。人間は死ぬと、心をつかさどる魂は天に昇って神になりますが、形、すなわち肉体をつかさどる魄は、地上に残って鬼と呼ばれる精霊になると考えられました。

積尸気 ししき

プレセペの中国名で、ぼんやり青白く光る星団を鬼火に見立てました。これを取り囲む四つの星を鬼宿といい、中国ではもっとも縁起の悪い星座としています。

同じように、一世紀のローマの博物学者プリニウスも、「もし、晴れた晩にプレセペが隠れることがあれば、暴風雨になるしるし」と述べ、青白いプレセペの光は人間に禍をもたらすものと考えていました。

しかしインドでは、釈迦が生まれたとき月がここにあったというので、ここをめでたい星座としています。おまけに、プレセペの星の集まり方が釈迦の胸にある卍に似ているところから、いっそう崇められています。

蜂の巣星団 はちのすせいだん

イギリスでは、プレセペの群がる星ぼしが蜂の巣に似ているところから、ビーハイブ（蜂の巣）星団と呼んでいます。双眼鏡でこの様子がわかります。

プレセペ

プレセペ

蟹の甲羅の四星の中心に見える星の群れのラテン名で、かいば桶を意味します。γ星とδ星を、二匹のロバ（アセルス）に見ていたところからついた名です。

一六一〇年、ガリレオがはじめて望遠鏡を向けたとき、「プレセペと呼ばれる星雲はただ一個の天体ではない。約四〇個の星の集まりで、私はアセルスのほかに三〇個の星を数えた」と、感動したようすを述べています。

実際には一〇〇個の星が集まった散開星団で、双眼鏡で漆黒の闇に散りばめた宝石のように見えます。

鬼火と木星

天秤座 てんびんざ

七月初旬の夜八時ごろ南中する星座で、四つの星でいびつな菱形を描いています。黄道第七番目の星座として古くから知られていますが、昔ここに秋分点があり、昼と夜を二分していたところから、天秤座になったといいます。

神話によると、正義の女神アストレアが、人間の正義や邪悪を量るために使った天秤といわれます。

天秤座と木星

海蛇座 うみへびざ

全天で一番大きい星座で、蟹座のすぐ南で海蛇の頭を形づくる五、六個の星が、ひと塊になっています。そこから東へ六分儀座、コップ座、烏座の南を通り、天秤座の西隣りまで、延々一〇〇度以上も続いています。四月下旬の夜八時ごろ南の空に見えます。

神話によるとこの蛇の正体は、レルネの野のアミュモーネという泉にすむ、九本首のヒドラ（水蛇）といいます。家畜や土地を荒らしていましたが、ヘラクレスと、彼に力を貸した甥のイオラオスに退治されました。

── 六分儀座
── コップ座

アルファルド

海蛇座α星（一等星）の固有名。アラビア語のアル・フアルド・アル・シュジャー（蛇の孤独な星）からきたもので、孤独を意味します。周囲に明るい星がないためにつきました。

この星は海蛇の心臓のところで光るところから、ラテン名でコル・ヒドレ（ヒドラの心臓）という名前があります。十六世紀のデンマークの天文学者ティコ・ブラーエが命名したものです。

── コル・ヒドレ

海蛇座

南十字座
みなみじゅうじざ

一等星二つを含むおなじみの星座で、南十字星の名で親しまれています。鳥座の真南に位置し五月下旬に南中しますが、緯度の関係で本州からは見えず、十字架の全景を見るには沖縄まで南下しなければなりません。水平線上に姿を見せる八重山列島の小浜島では、南十字星をハイムルブシと呼んでいます。

十字架の立て棒にあたる二つの星を結び、その長さを五倍延長したところに**天の南極**があります。

昔の船乗りにとって南十字星は大切な星でした。

南十字星　ハイムルブシ　天の南極

コールサック

南十字星のすぐ南東にある暗黒星雲で、コールサックとか**石炭袋**と呼ばれています。白鳥座にも同名のものがあります。

暗黒星雲　石炭袋

南十字星とコールサック

サザンクロスとサザンポインターズ

ケンタウルス座と南十字星

ケンタウルス座（ケンタウルスざ）

半人半馬をかたどった星座で、六月初旬の夜八時ごろ南の空低く見えます。一等星二つを含みますが、緯度の関係で本州からは二つとも見ることはできません。α星は地球にもっとも近い星で四・三光年の距離にあります。

神話によると、この馬人の名はフォーローといい、ほかの馬人がヘラクレスの射た毒矢で倒れると、すぐに抜き取ってやっていましたが、あやまってその毒矢を足に落としたため、死んだといいます。

サザンポインターズ

ケンタウルス座α星とβ星の英名。α星からβ星を結び、そのまま延長すると南十字星にとどき、さらに南十字星から天の南極を知ることができるためについた呼び名です。

夏ノ星ノ章

宙ノ名前

夏の星空

7月初旬　23時
7月中旬　22時
8月初旬　21時
8月中旬　20時

おおぐま

きりん

こじし

こぐま
β
γ
α
ι

北斗七星
ミザール

しし

りゅう

りょうけん
うしかい
かみのけ

アルクトゥールス

おとめ

ヘルクレス　かんむり

へび
（頭）

スピカ

α
β
β

へびつかい
ζ
η

天の赤道

てんびん

アンタレス

さそり

おおかみ

さいだん

★星のスペクトル

● O型とB型
● A型とF型
　G型
● K型
● M型

アンドロメダ

アンドロメダ銀河

四辺形

うお

ペガスス

いるか

こうま

こぎつね

や

へび
(尾)

アルタイル

わし

たて

みずがめ

やぎ

黄道

いて

南斗
六星

けんびきょう

みなみの
かんむり

南

北

h と χ

カシオペヤ

ケフェウス

北極星

北アメリカ星雲

デネブ

はくちょう

こと

とかげ

- ● 1等星以上
- ● 2等星
- ● 3等星
- ● 4等星
- ・ 5等星
- ◎ 変光星
- ✳ 星雲・星団

北極星

小熊座

小熊座

小熊座 こぐまざ

北極星を含む北天の星座で、七つの星で北斗七星に似た形を描いています。周極星として一年中見ることができますが、七月中旬の夜八時ごろ、もっとも北天高くなります。

古代バビロニアでは、北斗七星を「大きい車」、小熊座のほうを「小さな車」と呼びました。

神話によると、大熊になったニンフのカリストの息子アルカスといわれています。

小七曜 こしちょう

北斗七星を小さくしたような形をしていることから、小熊座の和名です。

大小二つのひしゃくが北の空に回っているところから、北斗七星を大びしゃくと呼ぶのに対し、小熊座を小びしゃくといいます。

――大びしゃく　小びしゃく

北極星 ほっきょくせい

北極星が小熊座のα星であることは、意外と知られていません。天の北極近くに位置するという意味からついたもので、光度は二等、淡い黄色の光を放っています。距離は四〇〇光年といいますから、今夜見る北極星は、天下分け目の関ヶ原の戦いのころ出発した光を見ていることになります。

古代中国では、小熊座を主とする星列を紫微垣といい、動かないところから天帝の居所とされ、転じて天子の位にたとえられました。

中国古代の経典の語を解説した『爾雅』に、「北極之を北辰と謂ふ」とあります。また、江戸時代の方言集で越谷吾山の著した『物類称呼』の北辰の項に、「北極と称するも同じ、うごかぬ星なり」と記されています。辰は星を意味し、古くは北辰、妙見、北辰妙見などの名が用いられ、近世に入って北極星と呼ばれるようになりました。（114・115）

紫微垣

北辰　妙見

北辰妙見

子の星<small>（ねのほし）</small>

十二支で、子は真北の方角に相当するところからついた、北極星の呼び名です。ほかにも子の方の星、北の子の星など同じような名が各地に残っています。沖縄では訛って、ネノフシ、ネノホーブシ（子の方星）といいます。

北極星は北の空の一点でじっとしているのではなく、わずかに動きます。北極星は天の北極から一度ほど離れているために、それを言い表したものに、「子の星は一度うごく」があります。

しかし、北極星の動きの大きさは各地で様々で、一寸八分だったり、一夜に三寸五分だったり、そうかと思うと屋根瓦一枚などというのもあります。広島の呉の俚謡に、「北の子の星や動かぬ星で　ついて回るが七つ星」があります。七つ星は、いうまでもなく北斗七星のことです。

子の星

北辰（ピントをぼかした北極星）

ポラリス

北極星のラテン名で、ステラ・ポラリス（極の星）が省略されたものです。航海の目あて星だったところからステラ・マリス（海の星）とか、ナビガトリア（航海を導く星）といった呼び方もあります。

子の方の星
北の子の星
ネノフシ　ネノホーブシ
天の北極

ステラ・マリス
ナビガトリア

北の一つ星

心星 しんぼし

星空は、あたかも北極星を中心に回っているように見えます。心星は星空の中心、あるいは回転軸に見立てた和名です。

心星

一つ星
北のいっちょん星
北の明星　目あて星
方角星
チヌカルカムイ　チヌカラグル

北の一つ星 きたのひとつぼし

北極星のまわりには明るい星がなく、一つだけぽつんと光っています。それを表した和名が北の一つ星です。

そのほかにも**一つ星**、**北のいっちょん星**、**北の明星**、**目あて星**、**方角星**などの名があります。またアイヌでは、北極星を我らの見る神という意味で、**チヌカルカムイ**とか**チヌカラグル**と呼んでいます。

コカブ

小熊座β星の固有名です。アラビア語のアル・カウカブ・アル・シャマリー（北の星）からきたもので、星を意味します。およそ三〇〇〇年前、この星が北極星だったことに由来するといいます。

北極星が移動するのは歳差という地球の首振り運動によるためで、現在の北極星も二一〇三年には一度の半分の二七・六分まで天の北極に近づきますが、その後は少しずつ離れ、西暦四五〇〇年ごろには三〇度も離れてしまいます。そのころにはケフェウス座のγ星が、代わって北極星になります。

フェルカド

小熊座γ星の固有名で、アラビア語のアル・ファルカド（小牛）が語源といいます。β星とγ星をあわせて、アル・ファルカダニ（二匹の小牛）と呼びました。

四三から子の星を守る矢来星

矢来星 _{やらいぼし}

野郎星 番の星
ザ・ガード・オブ・ザ・ポール

コカブとフェルカドにつけられた和名です。
戦場などで竹や丸太などを縦横に組んでつくった柵を、矢来といいます。四三（北斗七星）が子の星（北極星）をねらっているので、矢来星が守っていると見たものです。矢来が訛って野郎星、あるいは番の星などの呼び名もあります。
面白いのは英名で、β、γの二つの星をザ・ガード・オブ・ザ・ポール（極の守衛）と呼んでいるのです。出来すぎと思えるほど似ています。

角笛の口

角笛の口 _{つのぶえのくち}

私が昔羊飼いしとった時分に習うた学問では、あの角笛の口が頭の直上に来て、左の上の線の中にある時は、真夜中じゃから、もう夜明けまでにゃ、三時間とはごぎりませんからの（セルバンテス／ドン・キホーテ〈片上伸訳）

小熊座の七つの星のうち、目につくのは北極星と矢来星の三つです。これを結んだ細長い三角形を角笛に見立てたもので、この呼び名は、中世から近世にかけてスペインやイタリアなどで使われたと思われます。

また想い見よ、夜も昼も、われらの天の懐ろにありて足れりとし、その轅をめぐらしつつも隠れ去ることなき、北斗の七つ星を角笛の口を
に車軸をなせるものの尖端にはまる、かの角笛の口を
（ダンテ／神曲〈生田長江訳）

蠍座 さそりざ

雁あはれ蠍座の尾はしかと立つ（加藤楸邨）

南天の　蠍よもしなれ　魔ものならば　のちに血はとれ　まず力欲し（宮沢賢治）

黄道第八番目の星座で、S字の形をしています。夏を代表する星座の一つとして古くから知られ、メソポタミアの古代遺跡から発掘される石柱や粘土板などに描かれています。中国では青竜、インドネシアでは椰子の木に見られていました。神話によると、天上天下われよりも強いものはいない、と豪語したオリオンを刺し殺したのがこのさそりといわれています。

蠍座

魚釣り星 うおつりぼし

南の空低くかかるS字の形の蠍座を海辺で見ると、天の釣り針が大海に投げこまれるように見えます。そこからついた和名で、沖縄でもイユチャーブシ（魚釣り星）と呼ばれます。そのほか鯛釣り星、漁星とも呼ばれ、S字の形を柳に見立てた柳星の名もあります。

イユチャーブシ
鯛釣り星
漁星　柳星

アンタレス

蠍座α星の固有名で、アンチ・アレス（火星に対抗するもの）からきた呼び名です。アレスはギリシア神話に登場する軍神の名で、火星を意味します。赤色のアンタレスの近くに、しばしば火星が赤さを競うように近づいたところから、この名がつきました。

なおアンタレスは、蠍の心臓のところに光るところから、ラテン名でコル・スコルピオ（蠍の心臓）といい、中国では青竜の心臓として心宿と呼ばれています。

アンタレスが赤いのは、表面の温度が太陽の半分の三〇〇〇度ほどしかないからです。この星は太陽の直径の三〇〇倍もあるという赤色超巨星で、太陽系でいえば、水星、金星、地球を飲みこんで、火星の軌道あたりまで広がっていることになります。光度は一等星ですが、四・七年の周期で、〇・九等から一・八等まで明るさを変える変光星になっています。

コル・スコルピオ　心宿
赤色超巨星　変光星

大火 たいか

アンタレスの中国名で、火 か ともいいます。

『書経』に、「日永く、星は火、もって仲夏を正す」とあるように、すでに紀元前三〇〇〇年ごろ、アンタレスの南中により夏至を知りました。また、「大火流る」といえば、アンタレスが西に傾いて季節が夏から秋に変わることを意味します。

歳落ちて衆芳も歇き　時は大火の流るゝに当たる。　塞を出づれば霜の威早く
江を渡れば雲の色秋なり（李白）

火——

赤星 あかぼし

アンタレスの和名で、夏の炎暑をもたらすように赤く輝くところからついたものです。

赤といってもアンタレスの赤は、酒を飲んで酔っ払っていると見たものもあり、酒酔い星というユーモラスな呼び名もあります。

酒酔い星

豊年星 ほうねんぼし

これもアンタレスの和名です。秋になって収穫が多いと荷が重くなり、顔を赤くして担がなければならないからだといいます。

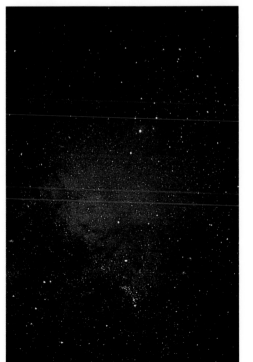

赤い目玉のさそり

籠担ぎ星 かごかつぎぼし

アンタレスと、その両脇のσ、τの三つ星に対する和名。アンタレスを天秤棒に担いでいる人、σ星とτ星を天秤棒にぶら下げた篭に見立てたものです。

似たような呼び名に**商人星、天秤棒星、鯖売り星、塩売り星、粟担い星、親担い星、枌星**などがあります。枌は天秤棒のことで、おうごともいいます。

おうごの三つぶせに押し伏せられて

（狂言　楽阿弥）

商人星　天秤棒星
鯖売り星　塩売り星
粟担い星　親担い星　枌星

籠担ぎ星

相撲とり星 すもうとりぼし

蠍座μ星の和名。この星は、二等星と四等星がくっつくように並んだ**二重星**で、交互にまたたく様子が、相撲をとっているように見えたところからついた名前です。

交互にまたたく様子を何に見立てているかで、呼び名も異なります。愉快なものに**喧嘩星、御輿星、褌奪い星、脚布奪い星**などがあります。たなばた星（織姫）さんが二人の雨降りのおなご星に、「私の織った美しい脚布をあげますので、七夕の夜は雨を降らさないでください」と頼みました。ところが、脚布は一枚しか織れなかったため、二人は奪いあっているのだといいます。

脚布とは腰巻のことで、七夕伝説から生まれたものです。

二重星
喧嘩星
御輿星
褌奪い星
脚布奪い星

参商 しんしょう

中国で、オリオン座の三つ星を**参**、蠍座のアンタレスを中心にした三つ星を**商**といいます。オリオン座は冬の星座、蠍座は夏の星座、すなわち参と商は星空で東と西にあって、逢うことのないたとえをいいます。

人生相見ざること　ややもすれば参と商のごとし
今夕復た何の夕ぞ　この燈燭の光を共にすると

相撲とり星

傳説 ふぇつ

蠍のしっぽにあるG星の中国名です。殷の時代の武丁は、衰えかけた国を再建できるか悩んでいました。ある夜、賢人に助けられる夢を見せました。その甲斐あって、傳険というところで、似顔絵そっくりの男が見つかりました。名を説といい、工事人足をしていました。武丁は説を説得し、躊躇することなく宰相としました。すると国は立ち直り、みごとに復興したのです。説は出身地の名をとって傳説と呼ばれ、死んでから星になったと伝えられています。

李白は説のことを、「万古辰星に騎り、光輝天下を照らす」と詠んでいます。ここでいう辰星は蠍座で、四神の青竜

は（杜甫／衛八処士に贈る）

をさします。⑭

天翔る傳説

蛇遣座〈へびつかいざ〉

医神をかたどった星座で、上半身で大きな五角形を描いています。古くから蛇をもつ巨人に見られているのは、蛇が医術の象徴だからです。八月初旬の夜八時に南の空に見えます。

神話によると、馬人ケイロンに育てられたアスクレピオスは、医術を習得してあらゆる難病を直す名医になりました。しかし、死者まで生き返らせたため、大神ゼウスはやむなく雷電の一撃で殺したといいます。

蛇遣座と蛇座

讃岐の箕〈さぬきのみ〉

蛇遣座α、β、κ、ξ、ηの五星につけられた和名です。

香川県沖の櫃石という小島では、ゆがんだ五角形を箕に見立て、そこから讃岐の方角にこの星が見えだすと七夕が近いと伝えられています。

セルペンティス・カプト ――
セルペンティス・カウダ ――

蛇座〈へび〉

蛇遣座の医神アスクレピオスが手にした蛇で、三つの四等星が小さな三角形を描いています。医神によりセルペンティス・カプト（蛇の頭部）とセルペンティス・カウダ（蛇の尾部）に二分割されているため、南中時は頭部と尾部で一ヶ月ほどずれますが、全体の見頃は八月初旬の夜八時ごろになります。

ヘルクレス座 （ヘルクレスざ）

ギリシア神話の英雄ヘラクレスをかたどった星座で、八月初旬の夜八時ごろ頭の真上にやってきます。大きなわりに明るい星が少なく、しかも逆様になっています。目印は英雄の胴体にあたる歪んだH字形です。星座名がヘルクレスになっているのは、ラテン名のため。ヘラクレスの武勇伝は多く、赤ん坊のときでさえ、女神ヘラが放った毒蛇をにぎりつぶしてしまったといいます。

上るヘルクレス座と冠座

冠座 （かんむりざ）

ヘルクレス座のとなりにある小さな星座で、七つの星が小さな半円形を描いています。七月中旬ごろの夜八時に頭の真上近くにやってきます。

古代ギリシアでは花輪に見立て、ステファノスと呼びました。

天の首飾り

竈星 かまどぼし

半円形に並んだ星の並びを、かまどに見立てたものです。

かまどにちなんだ呼び名は多く、くど星、へっつい星、長者のかま、鬼のおかま、地獄のかまなどが各地に残っています。

また、その形から車星、太鼓星、指輪星、首飾り星、土俵星などの呼び名もあります。

露けむり火ともす菊やへつい星（立心）

- くど星
- へっつい星
- 長者のかま
- 鬼のおかま
- 地獄のかま
- 車星　太鼓星
- 井戸端星
- 指輪星
- 首飾り星
- 土俵星

貫索 かんさく

ところが変われば見方も変わるもので、中国では冠座の半円形を牢屋に見立て、貫索と呼んでいます。そのほかオーストラリアの原住民はブーメラン、アメリカインディアンは天の姉妹に見立てました。

- ブーメラン
- 天の姉妹

竜座 りゅうざ

八月初旬の夜八時ごろ小熊座の上に見える星座で、平仮名の『て』の形をしています。

竜座には二等星や三等星があるのに、四等星のトゥバン（竜）がα星になっています。それは五〇〇〇年前、この星が北極星だったからです。五〇〇〇年前といえば、エジプトではピラミッドの建設が始まったころで、クフ王のピラミッドの玄室に三二度の傾斜をもつトンネルが掘られています。このトンネルは当時の北極星トゥバンをさしていました。

神話によると、北アフリカのアトラス山にあるヘスペリデスの花園で、金のりんごを守る竜といわれます。

トゥバン

竜座

真夏の夜の夢

琴座 こと座

リラ（小たて琴）をかたどった星座で、輝星ベガと、その脇で菱形を描く四つの星が目印です。八月下旬の夜八時ごろ、ほぼ頭の真上に見えます。

神話によるとこの琴は、ヘルメスが亀の甲羅に七本の糸を張ってつくったたて琴といわれています。

ベガ

琴座α星の固有名で、アラビア語のアル・ナスル・アル・ワーキ（落ちる鷲）が語源といいます。ベガとその両脇のβ星、γ星でつくる裏返しのくの字、すなわち『ゝ』の形を、翼をたたんで急降下する鷲の姿に見立てたものです。

ベガの光度は〇等で、天の北半球ではもっとも明るいので、**夏の夜の女王**とも呼ばれています。

――夏の夜の女王――

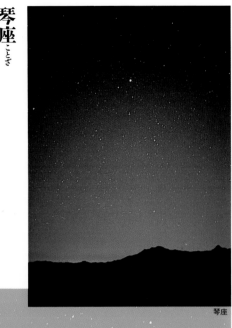

琴座

織女 しょくじょ

ベガの中国名。織女と牽牛が年に一度、七月七日の夜にだけ逢うという七夕の伝説は、奈良時代に中国から伝わりました。

織り姫 おりひめ

日本では織女のことを織り姫と呼びます。そのほか**棚機、織女、さきたなばた、めんたなばた、織り子星、女夫星**などの名があります。さきたなばたは牽牛より先に上るため。めんたなばたは、女のたなばたのことをいいます。

遣唐使として中国にわたった山上憶良は、神亀元年（七二四）七月七日の夜、左大臣長屋王の屋敷で「ひさかたの　天の河瀬に船浮けて　今夜か君が　我許来まさむ」（万葉集　巻八）と詠んでいます。

明け方や七夕つめの閨の雲（小林一茶）

秋風の吹きただよはす白雲はたなばたつめの天の領巾かも（よみ人知らず）

棚機
織女
さきたなばた
めんたなばた
織り子星
女夫星

七夕の子ども たなばたのこども

織り姫のすぐ脇の ε星、ζ星の和名で、三つの星で各辺二度の正三角形を描いています。この星を織り姫の子どもに見立てたもので、三つ合わせて**織女三星**といいます。

幼き男子、女の子を左右に置き愛し居たる（毘沙門の本地）

織女三星

瓜畑 うりばたけ

織り姫の少し下に、β、γ、δ、ζの四つの星が平行四辺形を描いています。これを瓜畑と呼んでいます。豊作祈願にもとづく和名です。

そのほか**瓜切りまないた、まないた星**などの呼び名もあります。

星合いやいかに瘦地の瓜つくり （榎本其角 えのもときかく）

瓜切りまないた
まないた星

織り姫と彦星

織り姫↓

彦星↑

鷲座（わしざ）

一等星アルタイルを含む星座で、開いた傘のような「∧」形を描いています。夏の星座とはいいますが、夜八時に南の空にやってくるのは九月十日ごろになります。

神話によると、トロイのイーダ山で羊を飼っていたガニュメデスという少年は、身体が金色に輝いていたというくらいの美少年でした。オリンポスの宮殿で、そば近くに使えてもらいたいと思った大神ゼウスは、鷲を使わせ、あるいは自ら鷲になって少年を連れさらったといいます。

あかいめだまのさそり　ひろげた鷲のつばさ　あをいめだまのこいぬ　ひかりのへびのとぐろ　オリオンは高くうたひ　つゆとしもとをおとす　（宮沢賢治／星めぐりの歌）

鷲座

アルタイル

鷲座α星の固有名で、アラビア語のアル・ナスル・アル・タイル（飛ぶ鷲）が語源になっています。アルタイルと両側にあるβ星、γ星の三つの星で描く直線を、『＞』形のベガに対し、翼を広げて飛ぶ鷲の姿に見立てたものです。かつてアラビアでは、鷲座と琴座をアル・ナスライン（二羽の鷲）と呼んだといいます。

彦星 ひこぼし

アルタイルの和名。織女（たなばたつめ）に対してつけられた男性名で、万葉集に牽牛（ひこぼし）の名が見られます。（131）

（131）

牽牛の嬬迎へ船漕ぎ出らし天の河原に霧の立てるは（山上憶良）

牽牛

犬飼星 いぬかいぼし

アルタイルの和名。七夕伝説が中国から入ってきて、日本風に呼ばれる彦星より古くからある呼び名です。

そのほか犬かいさん、犬引星、犬ひきどん、いんこどん、牛かい星、あとたなばた、おんたなばたなどの名で呼ばれています。

暗がりを牛引星の急ぎかな（小西来山）

犬かいさん　犬引星
犬ひきどん　いんこどん
牛かい星
あとたなばた
おんたなばた

アルタイルと鷲の黒い穴

鷲の黒い穴 わしのくろいあな

アルタイルの北東（右上）にある暗黒星雲の呼び名で、ギリシア文字の『ε』に似た形をしています。カタログ上の名前はバーナード一四二、一四三。大気の澄んだところでは、双眼鏡で見ることができます。

河鼓三星 かこさんせい

鷲座α、β、γの三つの星の中国名。天鼓（てんこ）ともいい、肩に担いで打ち鳴らす細長い太鼓に見たものです。

沖縄ではこの三星を、ママクワブシ（継子星）と呼んでいます。アルタイルを親、その両脇の星のうち、天の川に近いほう（γ星）を継子、後ろのβ星のほうを実子に見立て、継子を先にして天の川を渡るからだといわれています。

またアイヌでは、ウナルベクサ・ノチウ（老婆の川渡り星）といい、両脇の星のうち、明るいγ星を働き者の弟、暗いβ星のほうを怠け者の兄に見立てた伝説からきています。

天鼓
ママクワブシ
ウナルベクサ・ノチウ

沈む河鼓三星

白鳥座 はくちょうざ

一等星デネブを含む星座で、天の川の中に大きな十字形を描いています。古代フェニキア人やギリシア人などは、天の川を南下する大きな鳥の姿に見ており、エラトステネスはキュクノス（白鳥）と表現しています。九月下旬の夜八時ごろほぼ頭の真上に見えます。

神話によると、スパルタ王妃レダを見初めた大神ゼウスは、白鳥の姿になって近づいたといいます。のちにレダは二つの卵を生みます。一つは双子のカストルとポルックス、もう一つの卵からは、トロイ戦争の誘因となった美女ヘレンとクリュタイメストラが生まれました。

十文字星

白鳥座

十文字星 じゅうもんじぼし

白鳥座の和名で、十文字様とも呼ばれています。α、β、γ、δ、εの五つの星で、大きな十字形を描いているところからついたものです。冬の初め、筑波山の方向に沈む白鳥の十字形を傘の形に見立て、茨城県の霞ヶ浦地方では筑波の傘星と呼んでいます。ヨーロッパでは南十字（サザンクロス）に対し、北十字（ノーザンクロス）といいます。

十文字様　筑波の傘星　北十字

デネブと北アメリカ星雲

デネブ

白鳥座α星の固有名。アラビア語のアル・ダナブ・アル・ダジャジャー（めんどりの尾）からきた名前です。一八〇〇光年の距離にある一等星です。

古七夕 ふるたなばた

デネブの和名で、後七夕ともいいます。七夕の二星より遅れて目に入るところからついた、素朴な呼び名です。

後七夕

天の川星 あまのがわぼし

これもデネブの和名で、天の川に位置しているところからついたものです。この星のすぐ東側に、天の川が途切れて黒々見えるところがあります。これを石炭袋、またはコールサックといい、天の川星の光芒を際立たせています。南十字星にも同名のものがあります。石炭袋の正体は、暗黒星雲と呼ばれる星間雲で、ガス星雲や天の川のような明るい天体の前にあると、その形が黒いシルエットになって見えます。

石炭袋　コールサック

北アメリカ星雲 きたアメリカせいうん

デネブのすぐ脇にあるガス星雲で、形が北米大陸そっくりなところからついた呼び名です。空の澄んだところでは、肉眼で淡く見えます。

銀河鉄道

アルビレオ

白鳥座β星の固有名。アラビア語のアビレオ（くちばし）からついたといいますが、はっきりしていません。同じくアラビア語で、アル・ミンハル・アル・ダジャジャー（めんどりのくちばし）からきた、メンカルという別名もあります。

アルビレオは有名な二重星で、小さな望遠鏡で見ると、金色で三等星のアルビレオのすぐそばに、青色の五等星がくっついているのがわかります。トパーズとサファイアのようなところから、この一対を天上の宝石と呼んでいます。

窓の外の、まるで花火でいっぱいのやうな、あまの川のまん中に、黒い大きな建物が四棟ばかり立って、その一つの平屋根の上に、眼もさめるやうな、青宝玉と黄玉の大きな二つのすきとほった球が、輪になってしづかにくるくるまはつてゐました。（宮沢賢治／銀河鉄道の夜）

アルビレオ

夏の大三角
なつのだいさんかく

琴座のベガ、鷲座のアルタイル、白鳥座のデネブの、三つの一等星で描く三角形を夏の大三角と呼んでいます。ほぼ二等辺三角形をしていて、天の川がこの三角形の中を横切っています。九月中旬の夜八時ごろ、頭の真上に見えます。

傾く夏の大三角

射手座

射手座 いて

天の川のもっとも濃い南の低空で、六つの星が北斗七星を小さくしたようなひしゃくの形を描いています。黄道第九番目の星座として古くから知られ、古代バビロニアの境界石に弓をひきしぼる人物が描かれています。九月初旬の夜八時に南中します。

神話によると、ケンタウロスという馬人族の一人で、医者の神アスクレピオス、怪力ヘラクレス、アキレス腱でおなじみの英雄アキレウスなどを教育した、賢人ケイロンといいます。

天の川の見掛けの燦えを原因した　高みの風の一列は　射手のこっちで　一つの邪気を
そらに吐く　それだけではない蠍には　西蔵魔神の大きな布呂が　もうまっ黒に吸
ひついて　そこらの星をかくすのだ（宮沢賢治／夏夜狂燥）

南斗六星 なんとろくせい

射手座の目印になっている ζ、τ、σ、φ、λ、μ の六つの星の中国名。北斗七星に対してつけられた名で、北斗は死をつかさどり、南斗は寿命をつかさどる神と信じられています。

斗（ひしゃく）を小さくした形をしているため、中国ではここを斗宿といいます。

一方、ヨーロッパでは、南斗六星をミルキー・ウェイ（天の川）をすくうスプーン、あるいは赤ちゃんにミルクを飲ませるための柄の短いスプーンに見立て、ミルク・ディパーと呼んでいます。

斗宿　ミルク・ディパー──

南斗六星

南の舵星
みなみのかじぼし

和船の舵に見立てた南斗六星の和名です。北斗七星と区別するため、能登半島地方などで「北の大舵、南の小舵」とか、「北の舵星、南の舵星」と呼ぶそうです。

箕星
みぼし

南斗六星の南にあるγ、δ、ε、ηの四星の和名です。穀物をふるって、殻やちりなどを分ける農具に見立てたものです。

鼻ひるは箕ぼしかすずし飛ぶ蛍　（長祐）

対岸の蠍をねらう射手

秋の星空

10月初旬　23時
10月中旬　22時
11月初旬　21時
11月中旬　20時

斗七星

こぐま

りゅう

ヘルクレス

ケフェウス

ペガ

こと

北アメリカ星雲

デネブ

はくちょう

へびつかい

とかげ

こぎつね

や

わし

β

γ α β

δ

四辺形

ペガスス

いるか

こうま

アルタイル

たて

α

みずがめ

いて

黄道

やぎ

フォーマルハウト

α

みなみのうお

けんびきょう

つる

★星のスペクトル

● O型とB型
● A型とF型
　G型
● K型
● M型

おおぐま

ボルックス
カストル
やまねこ

きりん

ふたご
ぎょしゃ

カペラ

カシオペ

カリフォルニア
星雲

h と χ

おうし
アルゴル
β

ペルセウス
アンドロ

ベテルギウス
ヒヤデス

さんかく
β

オリオン
アルデバラン
プレアデス

アンドロメダ

大星雲
おひつじ

天の赤道
うお

リゲル
ミラ

エリダヌス
くじら

ろ

ちょうこ

ほうお

● 1等星以上
● 2等星
● 3等星
・ 4等星
・ 5等星
◉ 変光星
✳ 星雲・星団

海豚座と山羊座

棱星　ヨブの杼

菱星（ひしぼし）

海豚座のα、β、γ、δの四星で描く菱形についた呼び名です。小さな菱形は、機を織るときに使う梭を連想させ、九州地方などでは梭星といいます。七夕の二星に隣接することから生まれました。ヨーロッパでは、この菱形をヨブの杼と呼ぶそうですが、旧約聖書の人物とどう結びつくのか、はっきりしません。

山羊座（やぎざ）

九月下旬の夜八時ごろ南の空に見える星座で、三等以下の星ぼしで逆三角形をつくっています。黄道第一〇番目の星座ですが、星座絵では上半身は山羊、下半身は魚に描かれています。

古代バビロニアの時代、冬至点はこの星座にあり、南へ下がりきった太陽は冬至点を境にふたたび北上していきます。そのようすが岩山を登る山羊を連想させました。加えて、当時の太陽がここにかかるころ、バビロニアは雨季をむかえ、ユーフラテス川の氾濫をもたらす季節であったため、魚と山羊が一緒になったといいます。神話によると、この山羊は森と羊と羊飼いの神パーンといわれています。

海豚座（いるかざ）

鷲座の東に位置する小さな星座で、四つの星がかわいらしい菱形を描いています。九月下旬の夜八時ごろ南の空に見えます。

神話によると、シチリア島の音楽コンクールで優勝した音楽家アリオンは、帰りの船で船長たちに襲われ、賞金を奪われたうえ海へ飛びこめと脅されました。覚悟を決めたアリオンは、琴を奏で最後の歌を歌うと海に飛びこみましたが、音色に聞きほれて集まったイルカに助けられました。そのうちの一頭がこの海豚といいます。

水瓶座と南魚座

水瓶座 みずがめざ

黄道第一一番目の星座で、十月下旬の夜八時ごろ南の空にやってきます。水瓶を担ぐ少年をかたどった星座で、水瓶のところで四個の四等星が「三つ矢」の形を描いています。この四等星が「三つ矢」の形を描いています。神話によるとこの少年は、トロイのイーダ山で羊を飼っていたガニュメデスという美少年といいます。

南魚座 みなみのうおざ

一等星フォーマルハウトを含む星座で、一〇個ほどの星でつぶれた饅頭のような形を描いています。十月中旬の夜八時ごろ南の低空に見えます。

神話によると、テュポンという半人半蛇の怪物に襲われた愛と美の女神アフロディテは、とっさに魚の姿になってナイル川に飛びこみ、難を逃れたといいます。

フォーマルハウト

南魚座α星の固有名で、アラビア語のフム・アル・フート（魚の口）からきた呼び名です。秋の夜空のただ一つの一等星です。

南の一つ星 みなみのひとつぼし

この季節は夜空も物悲しく、付近に明るい星がありません。一つだけ寂しげに光っているところからついたフォーマルハウトの和名です。静岡県の焼津などで呼ばれるそうですが、はっきりと確認はされていません。東北には秋星という名があるといいます。

秋星

北落帥門 ほくらくしゅん

フォーマルハウトの中国名。シルクロードの起点とされる中国陝西省の西安は、その昔、長安といわれていました。北落帥門は、その古都の北門の名に由来します。

古くは北落帥門が微かなときは軍が亡びるといい、この星を兵の名に見ていました。

狂風古月を吹き　密かに弄す章華台。北落の明星光彩を動かし　南征の猛将は雷雲に如ㇾたり　（李白／司馬将軍の歌）

南アルプスのフォーマルハウト

魚座 うお

黄道第一二番目の星座で、十一月下旬の夜八時ごろ南の空高く見えます。ペガススの四辺形の東（左）と南（右）で、L字に星が並んでいます。星座絵では、二匹の魚がリボンのようなひもで結ばれています。形の東側を「北の魚」、南側を「西の魚」といいます。ペガススの四辺

西の魚

ペガスス座

ペガスス座（ペガススざ）

天馬をかたどった星座で、胴体にあたる四つの星が目印になります。十月下旬の夜八時ごろほぼ頭の真上にやってきます。

神話によると、勇士ペルセウスが女怪メドゥサの首を切り落としたとき、ほとばしる血の中から生まれたのがペガススといわれています。

四星　四隅星
ペガススの四辺形

桝形星（ますがたぼし）

天馬の胴体にあたる四星の和名です。正確にはペガスス座α星、β星、γ星と、アンドロメダ座α星をさします。その形から四星、四隅星の呼び名もあります。

この四辺形は、一辺の長さがそれぞれ約一五度もある大きなもので、秋に見えるので秋の四辺形といい、英語では、ザ・グレート・スクウェアー・オブ・ペガスス（ペガススの四辺形）と呼ばれています。

鯨座 くじらざ

十二月中旬の夜八時ごろ南の空に見える星座で、鯨の頭にあたる星がいびつな五角形を描いています。

神話によるとこの鯨は、アンドロメダ姫をひと飲みにしようとしたティアマトという海の怪物で、北氷洋に群棲するセイウチのような姿に描かれています。

上る鯨座

ミラ

鯨座 o 星のラテン名で、ステラ・ミラ（不思議な星）からきた呼び名です。ミラはおよそ三三二日の周期で二・〇等星から一〇・一等星まで明るさを変える変光星で、鯨の心臓のところに光っています。

この星は変光星発見の第一号で、ドイツの牧師でアマチュア天文家のダビト・ファブリチウスが、一五九六年八月十三日の夜明け前、水星を観測しているときにミラの変光に気づいたものです。

鯨座

アンドロメダ座 _{アンドロメダざ}

古代エチオピアの王女をかたどった星座で、ペガ
ススの四辺形の北東の星から、さらに北東に星が
V字形に並んでいます。十一月下旬の夜八時ごろ、
北の空高く見えます。

神話では、母のカシオペヤが器量自慢をしたため
海の神の怒りをかい、自ら化け鯨のいけにえにな
ることを覚悟しました。危機一髪というとき、通
りかかったペルセウスに助けられたといいます。

アンドロメダ冬、梁の軋むかな　（加藤秋邨）

アンドロメダ座と三角座

斗掻き星 _{とかきぼし}

ほぼ直線に並んだアンドロメダ座α、β、γ、δの四つの星の和名です。
ペガススの四辺形をマスの形に見ると、四つの星の直線は、マスに盛った
穀物を縁にそって平らにならす斗掻きに見ることができます。乾物屋さん
でよく見かけた光景です。また、桝形星に斗掻き星を加え、大きなひしゃ
くに見ている地方もあります。

斗掻き星

アルフェラッツ

アンドロメダ座α星の固有名。アラビア語のアル・スラト・アル・フェラス（馬の臍）からきた呼び名です。王女の頭にあたる星なのに馬の臍なのは、かつてペガスス座と共用されていたためです。

奎宿 けいしゅく

アンドロメダ王女の上半身と、魚座北部の星でつくる六角形の中国名です。二十八宿の一つで、奎は豚をさします。

古代エチオピア王家の想い出

三角座 さんかくざ

アンドロメダ王女の足もとに見える小さな星座で、三つの星で細長い三角形を描いています。ギリシアでは古くから、ギリシア文字のΔに似ているところからデルトトン（デルタ座）といい、エジプトでは、ナイル河の三角州に見立てナイル河のデルタとか、ナイルの家と呼んでいたといいます。

十二月中旬の夜八時ごろ、ほぼ頭の真上に見えます。

デルトトン
ナイル河のデルタ
ナイルの家

三角座

アンドロメダ大星雲 アンドロメダだいせいうん

王女の腰のあたりにある有名な小宇宙です。銀河系と同じ恒星の大集団で、渦巻き型をしています。距離は二三〇〇万光年で銀河系の外にありますが、銀河系の中にあるガス星雲と区別するため、最近ではアンドロメダ銀河と呼ぶようになりました。

光度は約四等で、見かけの大きさは満月の五倍ほどもあります。空の澄んだところでは、肉眼でも淡く見ることができます。

アンドロメダ銀河

アンドロメダ大星雲

牡羊座

牡羊座 おひつじざ

十二月下旬の夜八時ごろ頭の真上近くにやってくる星座で、三角座の南で小さなゆがんだ三角形を描いています。黄道第一番目の星座として知られていますが、現在は歳差という地球の首振り運動のため、春分点は西隣りの魚座に移っています。それでも当時の名残で、羊の頭をかたどった「Υ」のマークで春分点のことをいまだに「白羊宮の原点」といって、あらわしています。

神話によるとこの羊は、大神ゼウスが飼っていた空飛ぶ金毛の羊といわれています。

ペルセウス座 ペルセウスざ

ギリシア神話の勇士ペルセウスをかたどった星座で、一月初旬の夜八時に北天高く見えます。漢字の「人」に似た星列が目印。β星は有名な食変光星で、二日二〇時間四八分二九秒の周期で二・二等から三・五等まで明るさを変えますが、その名をアルゴル（悪魔）といいます。光度の違う二つの星が巡り合っているため変光するわけですが、アラビア語のラス・アルグル（悪魔の頭）からきた名前で、ペルセウスが退治した女怪メドゥサの頭のところで光っています。

食変光星
アルゴル

ペルセウス座

hとχ

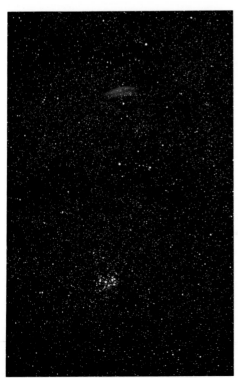

ペルセウス座カリフォルニア星雲と牡牛座プレアデス星団

hとχ エイチとカイ

ペルセウス座にある、二つ並んだ星の群れのこと。hは三五〇個、χには三〇〇個の星が集まっていて、二つの散開星団の間隔はわずか〇・五度しかありません。昔、星に記号をつけていたドイツのバイエルは、恒星とみなして西側をh、東側をχと名づけました。この名がいまだに使われています。

カシオペヤと北極星

カシオペヤ座 カシオペヤざ

古代エチオピア王妃をかたどった星座で、五つの星がW字形に並んでいます。　周極星として一年中北の空に見えますが、十二月初旬の夜八時ごろ、北の空高くなります。

神話では、アンドロメダ姫の母にあたります。

カシオピイヤ、もう水仙が咲き出すぞ。　おまへのガラスの水車、きっきとまはせ（宮沢賢治／水仙月の四日）

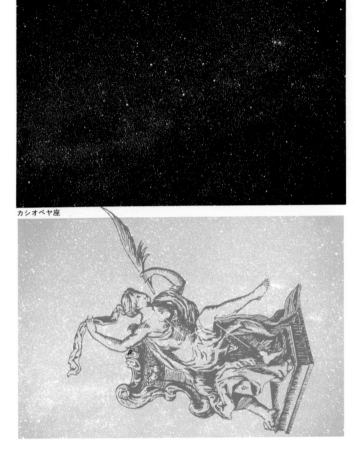

カシオペヤ座

ラコニアの鍵 ラコニアのかぎ

カシオペヤ座のギリシア古名。ギリシア南部の国ラコニアでは、W字形を鍵の形に見立て、国の名で呼びました。　鍵はこの地の発明ともいわれます。

秋の彼岸が近づくころ、宵の北天には北極星を真ん中に右にカシオペヤ、左に逆さになった北斗七星が並びます。この北斗七星を鍵に見立て、群馬地方では**土蔵の鍵**と呼んでいます。

――土蔵の鍵

ヘンナで染めた手 ヘンナでそめた

カシオペヤ座のアラビア古名。ヘンナは、古くから黄色の染料や顔料として使われたミソハギ科の潅木ですが、ここではマニキュアの顔料をさします。すなわち爪を赤く染めた、アラビア女性の五本の指に見立てたものです。

β星をアラビア名で**カフ**（手）と呼ぶのは、アル・カフ・アル・カディブ（染めた手）からきているからです。

――カフ

森の錨星

五曜 ごよう

カシオペヤ座の和名で、北斗七星の七曜に対してつけられたものです。日・月をのぞいた火星、水星、木星、金星、土星の五惑星を、中国で古来説かれてきた五行説の木・火・土・金・水の五つの元気に見立てた呼び名です。

錨星 いかりぼし

カシオペヤ座の和名で、W字形を船の錨に見立たものです。北の空をめぐるカシオペヤ座は、北極星の上に舞い上がるとWがMになります。このときの形から、山形星の呼び名もあります。

そのほか弓星、蝶子星、角違い星の呼び名も、形を言い表しています。

	山形星	弓星
	蝶子星	角違い星

　碇、星そこを通れる雁の声　　（山口誓子）

ティコの星 ティコのほし

カシオペヤ座に出現した超新星の名前。

一五七二年十一月十一日、W字形の近くに白昼でも見える星があらわれました。当時は巡礼の星と呼ばれたそうですが、デンマークの天文学者ティコ・ブラーエが一年半も詳しく観測したことから、ティコの星と呼ばれるようになりました。現在では星は見えませんが、強い電波が放射されており、カシオペヤ座Bと名づけられています。

のちにドイツの天文学者ケプラーは、この超新星がキリスト生誕を予言したベツレヘムの星であろうと推論しました。しかし承認はされませんでした。ベツレヘムは、キリストの誕生地とされるパレスチナの村で、エルサレムの南西約八キロにあります。

	超新星	巡礼の星	カシオペヤ座B
	ベツレヘムの星		

ケフェウス座 _{ケフェウスざ}

古代エチオピアの国王をかたどった星座で、とんがり屋根のような五角形を描いています。

周極星としてほぼ一年中北の空に見えますが、十月中旬の夜八時ごろ、北天高くなります。

神話では、アンドロメダ姫の父にあたります。

ガーネット・スター

ケフェウス座μ星の英名。天王星を発見したイギリスのウィリアム・ハーシェルは、この星が異常に赤味を帯びているところから、ガーネットスター（**柘榴石星**）と名づけました。

この星は、三・六等から五・一等まで明るさを変える変光星で、一〇〇〇光年の距離にあります。表面温度は二〇〇〇度以下という低さで、図体は太陽の一五〇〇倍もあることがわかっています。

―― 柘榴石星

ケフェウス座と北極星

← 北極星

備前の箕 _{びぜんのみ}

ケフェウス座の和名。五角形をしたケフェウス座を、農具の箕に見立てたものです。香川県では、備前（岡山）の方向にこの星座が見えると、七夕が近いといいます。

星の牧場

冬の星空

1月初旬　23時
1月中旬　22時
2月初旬　21時
2月中旬　20時

北

りゅう

とかげ

ケフェウス

カシオペヤ

アンドロメダ
アンドロメダ銀河

ペガスス
四辺形

hとχ

アルゴル

カペラ

ペル
セウス

さんかく

カリフォルニア
星雲

おひつじ

うお

おうし

プレアデス

ヒヤデス

α
アルデバラン

ミラ

天の赤道

γ
δ
β
オリオン

くじら

リゲル

うさぎ

エリダヌス

ろ

はと

ちょうこくぐ

★星のスペクトル

● O型とB型
● A型とF型
○ G型
● K型
● M型

りょうけん　ミザール　北斗七星　こぐま　きりん

おおぐま　かみのけ

やまねこ　ぎょし

東　黄道　レグルス　ポルックス　カストル　ふた

ブレセペ　かに　こいぬ

ろくぶんぎ　プロキオン　ベテルギウ　バラ星雲

しし　うみへび　いっかくじゅう　シリウ　α

（とも）　δ　カ　おおい　ε

ポンプ　（らしんばん）

（ほ）　りゅうこつ

アルゴ

カノープス　南

● 1等星以上
● 2等星
● 3等星
● 4等星
· 5等星
◎ 変光星
�֎ 星雲・星団

冬の訪れ

牡牛座 おうしざ

冬の代表的星座の一つで、牡牛の顔をつくる星ぼしでV字形を描いています。黄道第二番目の星座として古くから知られ、一月下旬の夜八時ごろほぼ頭の真上に見えます。

神話によると、フェニキアの王女エウロペを見初めた大神ゼウスは、雪のように真っ白な牛になって王女に近づき、王女を背中に乗せるとクレタ島に連れて行きました。それからこの地を王女の名にちなみ、ヨーロッパと呼ぶようになったといいます。

牡牛座

すばるの後星
ブルズ・アイ

アルデバラン

牡牛座α星（一等星）の固有名。アラビア語のアル・ダバラン（後に続くもの）からきた名で、プレアデス星団の後から上るところからついたものです。

面白いことに東北地方でも、この星を**すばるの後星**と呼んでいます。星座絵では、牡牛の目のところに光るところから、英語で**ブルズ・アイ**（牛の目）といいます。

昴

プレアデス星団 プレアデスせいだん

牡牛の肩先に見える散開星団で、肉眼で六個の星が天空の片隅に集まっているように見えます。実際には一二〇個の若い星の群れで、四一〇光年の距離にあります。

「澄んだ闇の空をのぼって来て、銀糸にからみつけた蛍の一むれのやうにちらつく」と、テニスンが形容したように、冴え渡る冬の夜、双眼鏡を向けると、明滅する星ぼしを視野いっぱいに見ることができます。

神話では、天を担ぐアトラスの七人姉妹といわれ、個々の星にはケラエノ、エレクトラ、タイゲタ、マイア、ステロペ、メロペ、アルキオネ、という名がついています。

アトラスの娘たちプレイアデス昇りつつあらば、収穫を始め、沈まんとする頃は耕作を始める。四〇の夜と昼、彼女らは隠れ、年のめぐるにつれて復たも現わる。その時はまず大鎌を磨くべし。これ野の掟なり 《シオドス／農作と日々》

ケラエノ　エレクトラ　タイゲタ　マイア
ステロペ　メロペ　アルキオネ

消えたプレヤード きえたプレヤード

神話によると、プレアデスは七人姉妹になっていますが、肉眼では六個しか見えません。それは七人の一人メロペが、自分だけ人間の妻になったことを恥じて姿を消したためとか、わが子ダルダノスが創建したトロイの街が崩壊するのをなげき悲しみ、母エレクトラが彗星となって姿を消したためといいます。

それ以来、残った六人の姉妹が泣きぬれている姿を、よく見えません。星団が青白くぼやけているのはそのためといいます。この消えた星を、「消えたプレヤード」といいます。

昴 すばる

片仮名でスバルと書くと外来語のように思えますが、古くから知られた牡牛座プレアデス星団の和名です。

集まって一つになるという意味から統ばるといい、糸でつないだ球飾りの名として、『古事記』や『万葉集』に、五百津之美須麻流之珠とか須売流玉などと記されています。

すばるがプレアデス星団の名として初めて登場するのは、平安中期の歌人で三十六歌仙の一人、源　順が、勤子内親王の命により撰進した『和名類聚抄』といいますから、承平四年（九三四）ごろのことです。

星はすばる。ひこぼし。ゆふづつ。よばひ星、すこしをかし。尾だにながからましかば、まいて　（清少納言／枕草子）

馬の背にいかなる淵のあるやらんひろき空にもすばる星かな　（前大納言為家）

月は東にすばるは真中に　（丹後の俗謡）

ふかき海にかがまる海老のあるからに　ひろき空にもすばる星かな　（為家と西行の連歌）

一升星 いっしょうぼし

長野や山梨地方で、星が一升マスにあふれるほど群がっているところからついた、プレアデス星団の和名といいます。

一升マスといえば、そばまきの時期をすばるで言い表した、すばる満時粉八合といい俚諺があります。

満時とは、午時の訛りで南中のことをいい、すばるが夜明け前に真南にやってくる二百十日ごろの七つ時（九月一日ごろの夜明けの四時前後）にそばをまくと、もっとも実りが多くなることを言い表したものです。粉八合とは、一升の種そばで八合の粉が挽けることを意味します。同じようにすばるで時刻、麦まきの時期を言い表したものに、すばるの山入り麦まきのしゅんなどがあります。

六連星 むつらぼし

肉眼で六つの星が見えるところからついた、プレアデス星団の和名です。六つの星の印象を地方によってはむづら、**六星**、**六神**、**六連珠**、**六地蔵**、**六曜**などの名で呼んでいます。冬の夜空の片隅で、小さな星が寄りそうように集まる姿は愛らしく、ほかにも、なるほどと思う和名があります。

星が一カ所に集まっているところからついた**群がり星**、**寄り合い星**、**鈴なり星**、ごちゃごちゃ星、一方、六つの星を羽子板の形に見た**羽子板星**という呼び名もあります。

むづら　六星　六神　六連珠　六地蔵　六曜
群がり星　寄り合い星　鈴なり星　ごちゃごちゃ星　羽子板星

草星 くさぼし

これもプレアデス星団の和名で、東北地方などではお草星と呼ばれていますが、意味ははっきりしません。灸のもぐさ、それとも雑草が一カ所に生えたものをいったものでしょうか。

出たよ、草星、おらちゃんと見てた、芥戸のよっちゃの川岸で、出たね、あの晩、やなぎの絮の、ふはりふはりが白かったよ（北原白秋／宵）

プレアデスとヒヤデス

星の入り東風 ほしのいりごち

夜明け前、すばるが西に沈むころ吹く東風という意味で、陰暦十月中旬の北東風などをいいます。近畿、中国地方で使われますが、静岡県の田方郡などでは、すばるが西山に沈むころ、海が凪いでもっとも静かになるところから、入りあい凪と呼んでいます。

──入りあい凪──

ヒヤデス星団 ヒヤデスせいだん

牡牛の顔の部分にあたる、V字形をした星の群れをさします。一〇〇個の星が集まっていますが、肉眼では六個ほど数えられます。

神話によると、プレアデスの七人姉妹とは異母姉妹にあたり、ヒヤデスも七人姉妹と伝えられています。

釣鐘星 つりがねぼし

ヒヤデス星団の和名で、V字形に並んだ星を釣鐘の形に見たものです。

そのほかにも形からきた呼び名としては、撞き鐘星、苞星、扇子星、馬の面星などがあります。なお苞星は、すばるにもある呼び名です。

──撞き鐘星　苞星　扇子星　馬の面星──

雨降りヒヤデス あめふりヒヤデス

洋の東西を問わず、古くからヒヤデスを雨に関連のある星と見ています。ヒヤデスには「雨を降らせる女」という意味があります。昔、日の出のとき、太陽とヒヤデス星団が同時に上るころ雨季を向かえたためとか、ギリシア語のヒュエイン（雨降り）に似ていたからといいます。

一方中国では、このあたりを畢宿といいました。畢は兎を捕らえる網のことで、V字形を畢に見立てたものです。この星は天気占いに使われ、『詩経』に「月畢にかかりて滂沱たらしむ（月がヒヤデス星団にかかると雨が降る）」という詩句が伝えられています。日本での畢宿の読みは、「あめふりほし」といいます。

──畢宿──

傾くヒヤデスとプレアデス

馭車と牡牛

馭者座 ぎょしゃざ

二月中旬の夜八時ごろ頭の真上近くに見える星座で、明るい五つの星で五角形を描いています。その形から、日本では**五角星**とか**五つ星**、中国では**五車**と呼ばれています。

神話によるとこの馭者は、鍛冶の神の息子エリクトニウスといいます。彼は足が不自由でしたが、四輪の馬車を発明しその功績でアテネの王になり、天に上げられて星座になったといいます。

五角星
五つ星
五車

駆車座

すまるの相手星 すまるのあいてぼし

カペラの和名。冬の夕暮れ、北東の空にカペラとすばるが、ほとんど同時に上るところからついた呼び名です。壱岐島ではイカ漁に出てすばるが見えないとき、この星で方角を知るといいます。黄色の光輝鋭いカペラと、青味がかった淡いすばるの対比が印象的です。

また敦賀・若狭・富山などでは、カペラの上る方角から**能登星**、**佐渡星**と呼ばれています。

能登星　佐渡星

カペラ

馭者座α星の固有名。ラテン語のカプラからきたもので、雌の子山羊を意味します。四〇光年の距離にある一等星で、星座絵では、馭者が抱えた雌の子山羊のところで光ります。

オリオン座 オリオンざ

……戦争の間ぢゅう私はかの女を銃眼から見ていた ツェペリンが巴里を攻撃する時にはいつもオリオンの中からやってきた 今日かの女は私の頭の真上にいる……（サンドラルス〈堀口大学訳〉）

一等星二つ、二等星五つを含む冬の代表的星座です。雄大で星の配列が美しいところから、**冬空の王者**と呼ばれています。もっとも見つけやすい星座で、二月初旬の夜八時ごろ、南の空に燦然と輝いて見えます。

すばらしい星座ですが、神話はいただけません。狩人オリオンは強いことを自慢したため、神の怒りにふれ、大地の神ガイアは一匹のさそりをつかわし、オリオンを刺し殺したといいます。

我は見ぬ、夜ごと臥床に入る前 つたかずらまつわる窓より 大オリオン遅々として西空に沈みゆくを（テニスン／ロックスリー館）

上るオリオン座

冬空の王者

鼓星

リゲル

オリオン座β星の固有名。アラビア語のジル・アル・ジャウザ（巨人の左足）からきた呼び名で、七〇〇光年の距離にあります。青白色の一等星です。

平家星・源氏星（へいけぼし・げんじぼし）

ベテルギウスとリゲルの和名です。岐阜県揖斐郡の山村では、赤色のベテルギウスを平家の赤旗、青白色のリゲルを源氏の白旗に見立てたといいます。

また、ベテルギウスとリゲルを三つ星の脇役に見て、福井県などでは脇星、唐鋤の相手などと呼ぶそうです。

脇星　唐鋤の相手

ベテルギウス

オリオン座α星の固有名。アラビア語のイブト・アル・ジャウザ（わきの下）からきたものです。古くは三つ星を白い帯をした羊、α星とβ星を羊飼いに見ていました。のちに羊飼いが神話のオリオン（巨人）になり、α星とβ星が巨人のわきの下という意味になったものです。

ベテルギウスは五〇〇光年の距離にある赤色超巨星で、太陽の直径の七〇〇倍から一〇〇〇倍までの間で、ふくらんだり縮んだりしています。そのたびに明るさも〇・四等から一・三等まで変化します。

四つ星

鼓星（つづみぼし）

オリオン座は、斜め一文字に並ぶ三つの星（δ星、ε星、ζ星）と、それを取り囲む四つの星（α星、β星、γ星、κ星）がとくに眼を引きます。三つの星を三つ星、四つの星を四つ星ともいいます。これを鼓の形に見立てた呼び名です。

三つ星 みつぼし

斜め一文字に並ぶδ、ε、ζの三つの星の和名で、全国的に三つ星の名で呼ばれています。狩人オリオンのベルトにあたります。

三つ星また星粉八合は、すばると同様に、そばまきの時期を言い表したもので、まっ昼は満時と同じ南中をさします。目につく星を種まきの目安にした、素朴な俚言です。

静岡県富士郡では、夜明け前に三つ星が南中するころ（九月中旬過ぎ）にそばの種をまくと、一升の実から八合の粉がとれると言い伝えられています。

三つ星のひむがし空にのぼるなべ　夜頃おそしと稲積みかへる　（島木赤彦）

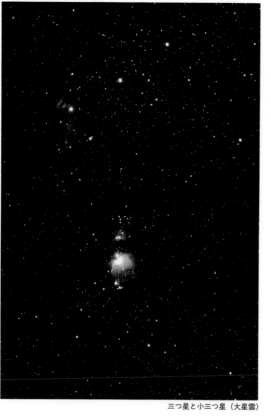

三つ星と小三つ星（大星雲）

ミンタカ

オリオン座δ星の固有名。アラビア語のアル・ミンタカ・アル・ジャウザ（巨人の帯）からきたものです。三つ星の右の二等星で、一五〇〇光年の距離にあります。

アルニラム

オリオン座ε星の固有名。アラビア語のアル・ニタム（真珠の糸）からきたもので、古くは三つ星全部の名前でした。三つ星の真ん中の二等星で、一三〇〇光年の距離にあります。

アルニタク

オリオン座ζ星の固有名。アラビア語のアル・ニタク（帯）からきたものです。三つ星の左の二等星で、一三〇〇光年の距離にあります。

三光さんこう

オリオン座三つ星の和名。三光とは太陽、月、星をさしますが、冴えわたる寒空に三つ星が輝くようすを太陽、月、星に見立て、三つ星の呼び名になったものです。

そのほか三つ星の呼び名として、三丁の星、三星様、三大師、尺五星、算木星、竹の節、竹継ぎ星、竿星、稲架の間、かせ星など数多くあります。

稲架は刈り取った稲を乾かすための稲かけ、かせは紡いだ糸を巻きとるI字形の道具をいいます。

　　三丁の星　三星様　三大星　三大師　尺五星　算木星
　　竹の節　竹継ぎ星　竿星　稲架の間　かせ星

お三大星さままたしゃんせ　わたしゃ夜ふけにひとりぽっち　待てというたら待たしゃんせ　かわいそうなら待たしゃんせ　身につまされて愚痴じゃない　連れてゆくならゆきゃしゃんせ　お三大さま連れ衆づれ　わたしゃ焼野にひとりぽっち（野口雨情／お三大星さま）

土用三郎どようさぶろう

これもオリオン座三つ星の和名です。夏の土用に入って、夜明け前に三つ星が水平線から縦一文字に、一夜に一星ずつ現れるところから呼ばれています。観察眼の鋭さに感心させられる名前です。

ただし、一般的に土用三郎は、夏の土用の第三日目（現在の七月二十日ごろ）のことをさします。この日の天気で秋の農作物の豊凶を占い、快晴なら豊年、雨のときは凶年とします。

　　夜わたし

星の出入りほしのでいり

陰暦十月中旬に吹く北東の風を、伊勢などのある農村では、三つ星が夜明け前に沈むころ（十二月ごろ）、麦まきをしますが、これを星の出入りと呼ぶそうです。また別の農村では、三つ星が日没に上り、夜明け前に沈むことを、夜わたしと呼び、麦まきの目安にしています。

一方、静岡県のある農村では、三つ星が夜明け前に沈むころ（十二月ごろ）、麦まきをしますが、これを星の出入りと呼ぶそうです。また別の農村では、三つ星が日没に上り、夜明け前に沈むことを、夜わたしと呼び、麦まきの目安にしています。

オリオンは高く歌う

小三つ星 こみつぼし

三つ星のすぐ下に、c、θ、ιという小さな星が三つ縦に並んでいます。これを三つ星に対して小三つ星といいます。三つ星から比べると微かで、その印象から小三つ星、影三つ星、横三つ星、三つ星のお供、隠居星、真似星などとも呼ばれています。

なお、小三つ星の位置がオリオンの腰から下げた剣にあたるところから、ヨーロッパでは、オリオンズ・スウォード（オリオンの剣）といいます。

一世紀のローマの詩人マニリウス・ガイオスは、小三つ星を三つの宝玉として、「広い両肩に一つずつ、さんらんたる宝玉を輝かせ、三つの宝玉は斜めに大剣を飾る」と歌っています。

小三つ星　影三星
横三つ星
三つ星のお供
隠居星　真似星
オリオンズ・スウォード

唐鋤星 からすきぼし

三つ星と小三つ星を併せた呼び名です。『く』の字に並んだ星の並びを、牛や馬にひかせて田畑を耕す農具に見立てたものです。柄鋤星、犂星とも書きます。
いけぬるは犂ほしかむめの花（安原貞室）

柄鋤星　犂星──

酒桝星 さかますぼし

三つ星と小三つ星、それにη星を併せた和名です。正方形に短い柄のついたものを酒桝といい、三つ星と小三つ星などで見事にその形を描いています。

オリオン大星雲 オリオンだいせいうん

オリオン座三つ星の下（南）にある有名な星雲。月のない晴れた晩には肉眼でも淡く見えますが、双眼鏡を使うと、鳥が翼を広げたような姿が視野いっぱいに広がります。一三〇〇光年の距離にあり、実際の大きさも二五光年の広がりがあります。

オリオン大星雲

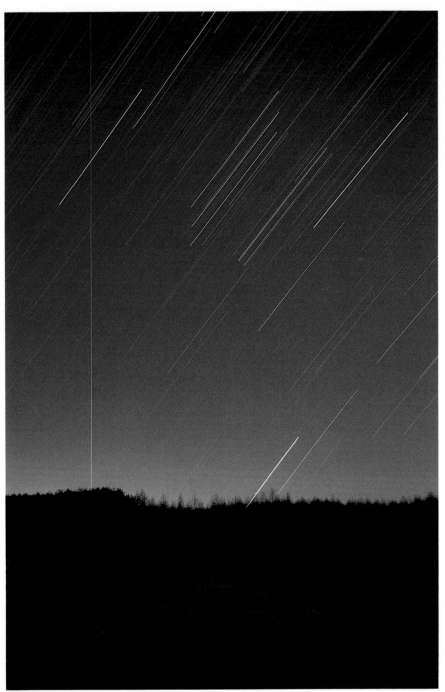

緑の光線

大犬座 おおいぬざ

シリウスを含む星座で、北東の二星とで犬の顔の三角形を描いています。ギリシアでは、古くからシリウスを犬の星と呼んでいました。二月下旬の夜八時ごろ南の空に見えます。

神話はいろいろな説があり、足の早いレラプスという犬とか、狩人オリオンが連れていた犬とか、イカリオスの忠犬メーラなどといわれています。

シリウス

マイナス一・五等星の大犬座α星の固有名。全天で一番明るく輝くところから、ギリシア語でセイリオス（焼き焦がすもの、輝くもの）と呼ばれました。

英語でドッグ・スター（犬の星）はシリウスをさし、ドッグ・デイズ（犬の日）は土用、暑中を意味します。夏至のころシリウスと太陽が一緒に上り、夏の炎暑と疫病をもたらすためといいます。⑯

……亦の名をオーリーオーンの犬と呼ばれて、一番に燦々しい星ながらも、禍の星とされて、夥しい焼病の気をみじめたらしい人間にもたらすもの……（ホメロス／イリアス〈呉茂一訳〉）

ドッグ・スター　ドッグ・デイズ

大犬座

青星 あおぼし

冬の夜空に三つ星の南東で輝くシリウスの光は、すさまじいほどです。青白い色が印象的なところからついた呼び名ですが、北風が強いときなどは、天のプリズムのように色を変えて見えることもあります。絵の具星の呼び名は、端的にそれを表しています。また、ひときわ明るく輝くところから、大星の名もあります。

絵の具星　大星

青星と星の群れ

天狼 てんろう

らんらんと光るシリウスを、狼の目にたとえた中国名です。大犬座β星を野鶏といい、狼が鶏をねらっている姿ともいいます。

おおなんと金牛の宮、天狼の星、熊の星、魂はなす手だてもない時間へ入りこむとき、なんという巨大な勝利の品々を形の定まらぬ空間へ置くことか!!（ポール・ヴァレリー／秘めたる歌《菱山修三訳》）

野鶏

鞍掛け星　弧矢

三角星 さんかくぼし

大犬の腰からしっぽにあたるδ星、ε星、η星の和名で、三つの星が描く直角三角形をいったものです。馬の背につける鞍に見立てた、鞍掛け星の呼び名もあります。

中国ではこのあたりを弧矢といって弓と矢に見立て、シリウスを獲物の狼としています。

アヌビス神 アヌビスしん

古代エジプトでは、山犬の姿をした死者の守護神をアヌビスといい、シリウスをその神に見立てて崇めました。

この星がどれだけ重視されたかは、シリウスが日の出直前に上ってくる日を一年の始めと定めたり（紀元前三〇〇〇年ごろ）、その時期が雨季と重なり、ナイル川が増水して氾濫する前ぶれとして使われたことからわかります。

ナイルの民にとって、川の氾濫はなくてはならないものでした。上流からの肥沃な土を含んだ川の水が、両岸の田畑に天然の灌漑となったからです。

犬と狩人

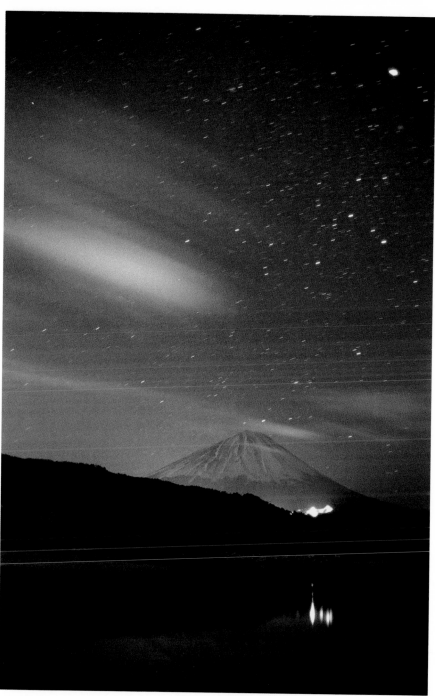

ドッグ・スター

小犬座 こいぬ

冬の天の川のほとりにある星座で、一等星と三等星の二つの星が斜めに並んでいます。三月中旬の夜八時ごろ南の空に見えます。

神話によると、狩りの名人アクタイオンは五〇匹の猟犬を連れて鹿狩りに出たおり、女神アルテミスの水浴びを見てしまいました。怒った女神はアクタイオンを鹿の姿に変えたところ、五〇匹の犬は獲物と思い主人をかみ殺してしまいました。小犬座はそのうちの一匹の犬といわれます。

小犬座

プロキオン

小犬座α星の固有名で、ギリシア語のプロキオン（犬の先がけ）をラテン語化させたものです。シリウスより先に東の空に上ることを表しています。一等星で、一一光年の距離にあります。

冬の大三角 ふゆのだいさんかく

オリオン座のベテルギウス、小犬座のプロキオン、それに大犬座のシリウスで描く三角形をいいます。三角形の中に一角獣座があり、天の川が横切っています。

一角獣座

色白 いろしろ

プロキオンの和名。出雲地方では白く輝いているところから色白といい、シリウスを南の色白と呼んでいます。

南の色白

冬の大三角

兎座
うさぎざ

オリオン座のすぐ南にある小さな星座で、四つの星がゆがんだ四辺形を描いています。

神話によると、狩人オリオンが二匹の犬を連れて狩りに行き、獲物として持ち帰ったのが、この兎といわれています。

クリムズン・スター

兎座のR星についた英名です。この星は四二七日の周期で、五・五等から一一・七等まで明るさを変える変光星ですが、とても赤い色をしています。

一八四五年、イギリスのハインドは最初にこの星を見て、「まるで暗黒の視野の中にしたたり落ちる血のようだ」と感嘆の声をあげたところから、ハインドのクリムズン・スター（深紅の星）と呼ばれるようになりました。

深紅の星

狩人と兎

R ←

兎座

アルゴ座

アルゴ座 アルゴざ

ギリシア神話に登場する快速船をかたどった星座です。船に乗りこんだ人たちをギリシア語でアルゴナウタイといい、イアソン隊長のほか、怪力ヘラクレス、双子のカストルとポルックス、たて琴の名人オルフェウスら、五〇人のアルゴナウタイによる冒険物語が伝えられています。

アルゴ座は東西に七五度、南北に六〇度も広がり、あまりに大きすぎるという理由で、近世になって**船尾座、竜骨座、羅針盤座、帆座**の四星座に分割されました。

一方インド、エジプトでもここを帆船に見ており、中東ではノアの箱船と考えていました。

カノープス

竜骨座α星の固有名。カノープスはトロイ戦争のとき、ギリシアのスパルタ軍の艦隊をみちびいた水先案内人です。

カノープスのアレキサンドリア近くの港に寄港したとき、その港に彼の名をつけました。その後、その港で水平線近くに現れる星を、カノープスと呼ぶようになったといいます。スパルタのメネラオス王は彼の功績をたたえ、カノープスが死んだため、

カノープスはシリウスに次いで、全天で二番目に明るい星として知られています。光度はマイナス〇・七等で、八〇光年の距離にあります。

富士の右裾から顔を出したカノープス

南極老人星 なんきょくろうじんせい

カノープスの中国名。かつて中国の都であった長安や洛陽で、この星が地上すれすれに見えるときを天下泰平の吉兆とし、この星を見ると長生きするとも伝えています。**老人星、南極寿星**とも呼ばれます。

老人星　南極寿星

布良星 めらぼし

カノープスの和名で　房総半島南端に近い布良という漁村の名がついたものです。

言い伝えによると、この星が海上すれすれにあらわれると、必ず暴風雨になるといい、時化で死んだ漁師の魂が、仲間の漁師を呼んでいるのだといいます。

入定星 にゅうじょうぼし

これもカノープスの和名です。昔、布良に近い横渚村で、西春という僧侶が入定したところからついた呼び名といいます。

西春は、「私は星になってあらわれるが、私を見たら必ず海が時化るので船を出さないように」と、言い残したと伝えられています。

横着星 おうちゃくぼし

カノープスの和名で、地平線すれすれにちょっと出て、すぐに沈んでしまうところからついたものです。

似たような名に、**無精星、道楽星**などがあります。

無精星　道楽星

傾いたアルゴ船（帆座と羅針盤座）

ニセ十字 （ニセじゅうじ）

南十字星によく似た十字形の呼び名。帆座δ星とκ星、それに竜骨座ε星とι星で十字架を描いたもので、本物よりやや大きく十字架もゆがんでいます。それでも昔の船乗りたちは、このニセ十字で方角を惑わされたに違いありません。海蛇座頭部の真南にありますが、全景を見るには沖縄まで南下しなければなりません。

ニセ十字

		ミニ解説
……	大熊座	星ほしの動きは1時間で15度。これを利用すれば、北斗七星の傾きで時刻がわかる。名づけて〝北斗の星時計〟。
……	山猫座	大熊座と馭者座の間にある星座。獅子の大鎌から山猫の星に連なる長い星列を、中国では軒轅と呼んでいる。
……	双子座	仲良く並んだカストルとポルックスが目印。毎年12月14、5日ごろの双子座流星群は、夏のペルセ群に劣らず見事。
………	蟹座	蟹の甲羅にあるプレセペ星団の年齢は約3億歳で、総質量は太陽の1000倍もある。距離は515光年。
……	獅子座	目印は、裏返しのクエスチョンマークの形をした獅子の大鎌。黄道上にある1等星レグルスは、時々月に隠される。
……	小獅子座	獅子座のすぐ上(北)にある小獅子座。3つの4等星で「へ」の字の形を描いている。
……	六分儀座	近世になってつくられた星座で、獅子座レグルスのすぐ下(南)にある。六分儀は、天文航法用の簡易天測機器。
……	コップ座	海蛇の背中に乗ったように見える星座。4等以下の星で、優勝カップのような形を描いている。
………	烏座	コップ座と並んで海蛇の背中に乗る星座。4つの星の上の2星から、乙女座の1等星スピカが見つけられる。
……	海蛇座	全天で一番長い星座。5～6個の星で描く海蛇の頭の部分を、中国では柳宿と呼んでいる。
……	ポンプ座	海蛇の下(南)にある星座。微光星ばかりの小星座で、まったく印象が薄い。
……	牛飼座	アルクトゥールスはオレンジ色の1等星。実際の直径は太陽の24倍もあり、太陽の100倍も明るい。
……	猟犬座	牛飼いが連れた2匹の猟犬をかたどった星座。α星は3等星のコル・カロリ(チャールズの心臓)。
……	髪座	星座の主要部にある微光星の群れは、Mel(メロット)111という散開星団。肉眼で見える。
……	乙女座	スピカは、真珠星と呼ばれる純白の1等星。牛飼座のアルクトゥールス、獅子座のデネボラと春の大三角をつくる。
……	天秤座	α星は二重星になっていて、5.2等と2.9等の2つの星が、角度で231秒隔てて並んでいる。肉眼で見える。
……	南十字座	天の川のなかで1等星2つ、それに2等星と3等星で十字形を描く。黒々とした石炭袋が十字架を一層引き立てている。
……	ケンタウルス座	α星とβ星は、半人半馬の足もとに輝く2つの1等星。α星までの距離は4.3光年で、地球にもっとも近い。

182

		ミニ解説
……	小熊座	北極星は小熊の尻尾のところで光る。熊の尻尾が長いのは、大神ゼウスが尻尾をつかんで天にほうり上げたため。
……	竜座	α星トゥバンは5000年前の北極星。毎年10月9日前後、竜座を輻射点としたジャコビニ流星群が飛ぶ。
……	冠座	7つの星が半円形を描く。その中程にあるR星は、ふだん6等星だが、突然減光して14等以下にしてしまう。
……	蛇座	セルペンティス・カプト(蛇の頭部)と、セルペンティス・カウダ(蛇の尾部)に2分割されている星座。
……	蛇遣座	医神アスクレピオスをかたどった星座。α星は2等星のラスアルハゲ(蛇をもつものの頭)で、医神の頭に光る。
……	狼座	天秤座の下(南)で、ケンタウルスの槍でつき倒される狼を描いている。古代ギリシアでは野獣と呼ばれた。
……	ヘルクレス座	豪傑ヘラクレスをかたどった星座。星座名は学名(ラテン語)からヘルクレス座。球状星団M13は北天で最美。
……	蠍座	ポリネシア諸島では、少年マウイがニュージーランドという島を釣り上げ、釣針は空にかかって蠍座になったという。
……	楯座	もとは、17世紀のポーランド国王ヤン3世ソビエスキーの武勲をたたえ、「ソビエスキーの楯座」と呼ばれた。
……	射手座	南斗六星付近には星雲や星団が多い。干潟星雲、三列星雲、オメガ星雲は双眼鏡で見ることができる。
……	南冠座	射手座のすぐ下(南)にある星座。プトレマイオスは、この星座を草花でつくった輪に見立て「南のリース」と呼んだ。
……	琴座	1等星ベガは、七夕の織り姫。「霞立つ天の河原に君待つといかよふほとに裳の裾ぬれぬ」(万葉集　巻八)
……	鷲座	1等星アルタイルは七夕の彦星。「天の河相向き立ちてわが恋ひし君来ますなり紐解き設けな」(万葉集　巻八)
……	矢座	この矢はエロスの持ち物で、黄金の矢で射られると恋心をおこし、鉛の矢で射られると百年の恋もさめてしまうという。
……	小狐座	白鳥座アルビレオのすぐ下(南)にある星座。ヘベリウスがつくった星座で、はじめは「小狐と鷲鳥座」と呼ばれた。
……	白鳥座	1等星デネブを含む5つの星で、大きな十字形を描く。天の川に位置しているところから、星雲や星団が多い。

		ミニ解説
……	海豚座	α星はスアロキン、β星はロタネブ。この名は、ピアッツィの助手ニコラウス・ベナトルを逆につづりにしたもの。
……	カシオペヤ座	古代エチオピア王妃カシオペヤをかたどった星座。アラビア名でα星をシェダル(胸)、β星をカフ(手)という。
……	ケフェウス座	ケフェウス王の頭に光るδ星は、5日8時間47分39秒の周期で、4.1等から5.2等まで明るさを変える変光星。
……	山羊座	射手座の東で逆三角形をつくる。α星アルゲディ(小山羊)、β星ダビー(殺戮者の守り星)は、ともに肉眼二重星。
……	顕微鏡座	山羊座のすぐ下(南)にある小星座。18世紀にフランスのラカイユが設定。5等以下の星ばかりで寂しい。
……	蜥蜴座	白鳥座を流れる天の川を、カシオペヤ座方向に延ばしたところにある。設定者のヘベリウスは、いもり座も考えた。

88星座一覧表 (順不同)

春の星座

星座名	読み	学名	略符	20時南中	掲載頁	
大熊座	おおぐまざ	Ursa Major	UMa	5月3日	86	·······
山猫座	やまねこざ	Lynx	Lyn	3月16日		·······
双子座	ふたござ	Gemini	Gem	3月3日	103	·······
蟹座	かにざ	Cancer	Cnc	3月26日	106	·······
獅子座	ししざ	Leo	Leo	4月25日	90	·······
小獅子座	こじしざ	Leo Minor	LMi	4月8日		·······
六分儀座	ろくぶんぎざ	Sextans	Sex	4月20日		·······
コップ座	コップざ	Crater	Crt	5月29日		·······
烏座	からすざ	Corvus	Crv	5月23日	94	·······
海蛇座	うみへびざ	Hydra	Hya	4月25日	108	·······
ポンプ座	ポンプざ	Antlia	Ant	4月17日		·······
牛飼座	うしかいざ	Bootes	Boo	6月26日	98	·······
猟犬座	りょうけんざ	Canes Venatici	CVn	6月2日	103	·······
髪座	かみのけざ	Coma Berenices	Com	5月28日	102	·······
乙女座	おとめざ	Virgo	Vir	6月7日	100	·······
天秤座	てんびんざ	Libra	Lib	7月6日	108	·······
南十字座	みなみじゅうじざ	Crux	Cru	5月23日	109	·······
ケンタウルス座	ケンタウルスざ	Centaurus	Cen	6月30日	111	·······

夏の星座

星座名	読み	学名	略符	20時南中	掲載頁	
小熊座	こぐまざ	Ursa Minor	UMi	7月22日	116	·······
竜座	りゅうざ	Draco	Dra	8月2日	127	·······
冠座	かんむりざ	Corona Borealis	CrB	7月13日	126	·······
蛇座	へびざ	Serpens	Ser	7月12日頭部	125	·······
				8月17日尾部		
蛇遣座	へびつかいざ	Ophiuchus	Oph	8月5日	125	·······
狼座	おおかみざ	Lupus	Lup	7月3日		·······
ヘルクレス座	ヘルクレスざ	Hercules	Her	8月5日	126	·······
蠍座	さそりざ	Scorpius	Sco	7月17日	121	·······
楯座	たてざ	Scutum	Sct	8月25日		·······
射手座	いてざ	Sagittarius	Sgr	9月2日	138	·······
南冠座	みなみのかんむりざ	Corona Austrina	CrA	8月27日		·······
琴座	ことざ	Lyra	Lyr	8月30日	130	·······
鷲座	わしざ	Aquila	Aql	9月10日	132	·······
矢座	やざ	Sagitta	Sge	9月12日		·······
小狐座	こぎつねざ	Vulpecula	Vul	9月13日		·······
白鳥座	はくちょうざ	Cygnus	Cyg	9月25日	134	·······

秋の星座

星座名	読み	学名	略符	20時南中	掲載頁	
海豚座	いるかざ	Delphinus	Del	9月26日	143	·······
カシオペヤ座	カシオペヤざ	Cassiopeia	Cas	12月2日	155	·······
ケフェウス座	ケフェウスざ	Cepheus	Cep	10月7日	157	·······
山羊座	やぎざ	Capricornus	Cap	9月30日	143	·······
顕微鏡座	けんびきょうざ	Microscopium	Mic	9月11日		·······
蜥蜴座	とかげざ	Lacerta	Lac	10月24日		

	ミニ解説
……… 水瓶座	秋の夜空は水に関係の星座が多い。そのわけは、古代バビロニアの時代、雨季を迎えた太陽はここで輝いたため。
……… 南魚座	水瓶からこぼれでた水を飲み干しているのがこの魚で、魚の口に光るのが1等星フォーマルハウト。
……… ペガスス座	秋の四辺形でおなじみの4つの星は、天馬ペガススの胴体にあたる。アラビアではこの四辺形をバケツに見立てている。
……… 小馬座	ペガススの弟のケレリスをかたどった星座で、ペガススの鼻先で、4等と5等の星が細長い四角形を描いている。
……… 鶴座	南魚座の下(南)にある星座。α星はアラビア名でアルナイル(魚の輝く星)。古くは南魚座に属していた。
……… 魚座	秋の四辺形の脇にL字形を描いている。α星は、2匹の魚の結び目に光る4等星のアル・リスカ(結び目)。
…… 彫刻室座	フォーマルハウトの左(東)で三角形を描いている。銀河の南極があるため星数は少ないが、小宇宙が多く見られる。
……… 鳳凰座	彫刻室座の下(南)にある星座で、不死鳥(フェニックス)を表している。古代エジプトでは火の鳥と呼ばれた。
アンドロメダ座	アンドロメダ銀河は、我々の銀河系のほか、大熊座の銀河、三角座の銀河などと、局部銀河群を形成している。
ペルセウス座	毎年8月12、3日ごろの、ペルセウス座流星群は圧巻。ヨーロッパでは、この流星群を「聖ローレンスの涙」と呼ぶ。
……… 鯨座	最輝星は、鯨の尾の部分に光るβ星で、光度2等のデネブ・カイトス(鯨の尾)。ミラはミラ型長周期変光星の代表。
……… 三角座	渦巻き銀河M33の光度は6.3等。鋭眼の人なら、肉眼で見えるという。ただし、大気の透明度がポイント。
……… 牡羊座	β星は、アラビア語からきたシェラタン(しるし)。2000年前、春分点がここにあり、そのしるしという。

	ミニ解説
… オリオン座	ベテルギウスとリゲルの間にある三つ星は、天の赤道に位置しているため、真東から上って真西に沈む。
… 牡牛座	牡牛の角の先にあるカニ星雲M1は、1054年に大爆発した超新星の残骸。藤原定家の「明月記」に記されている。
… 兎座	オリオン座のすぐ下(南)にある星座。α星とβ星は、アラビア名でアルネブ(兎)とニハル(喉が渇いたらくだ)。
… 鳩座	兎座の下(南)にある星座。フランスのロワーエが17世紀に設定したもの。はじめは「ノアの鳩座」と呼ばれた。
… 馭者座	1等星カペラは太陽に似た黄色の星といわれるが、実際は太陽の14倍と9倍の2つの星がめぐりあっている。
… 大犬座	シリウスは全天一の輝星。オリオン座三つ星を結び、そのまま左下(南東)にのばすとシリウスにとどく。
… 小犬座	1等星プロキオンと、β星ゴメイサの2つの星で小犬を描く。ゴメイサはアラビア名で、涙ぐんだもの意。
… 一角獣座	冬の大三角の中に位置する星座。天の川が横切っているので、星雲や星団が多い。中でもバラ星雲は有名。
…… 麒麟座	北極星と馭者座の間にある星座。設定者のバルチウスは、当初きりんではなく、らくだを考えていたという。
エリダヌス座	河をかたどった星座で、リゲルの脇から蛇行しながら地平線の下まで続く。α星は1等星のアケルナル(河の果て)。
…… 炉座	鯨座の下(南)にある星座で、化学実験炉をかたどっている。明るい星はなく寂しいが、小宇宙は数多く点在する。
…… 彫刻具座	鳩座の右(西)にある星座。ラカイユが設定した新興星座で、当初は「たがね」といった。
…… 船尾座	4分割されたアルゴ座の1つで、大犬座の左下(南東)に位置している。天の川がかかっているため星雲・星団が多い。
…… 羅針盤座	元アルゴ座で、4分割された中では一番小さい星座。船尾座の左(東)に位置している。
…… 竜骨座	4分割されたアルゴ座の1つ。1等星カノープスは本州から地平線すれすれに見えるが、星座の大部分は見えない。
…… 帆座	分割されたアルゴ座の1つ。微光星が多いが、本州からは星座の一部が地平線にかかって見えない。

	ミニ解説
……… 飛魚座	ドイツのバイヤーが設定した星座で、巨大なアルゴ船にたわむれるように見える。右隣り(西)に大マゼラン雲がある。
……… 蠅座	南十字座のすぐ下(南)にある星座。バイヤーやハレーは、この星座を蜜蜂としたが、ラカイユが正式に蠅にした。
カメレオン座	天の南極のある八分儀座に隣接した星座なので、日本の最南端からもまったく見ることはできない。
……… 定規座	アンタレスの下(南)にある小さな星座。微光星は多いが、本州からは星座の一部が地平線にかかり見えない。
…… コンパス座	ケンタウルス座α星と、南三角座の間にある星座。3つの星でコンパスの細長い三角形を描いている。
…… 南三角座	定規座の下(南)で、二等辺三角形を描いている。α星はアトリアで、α+3文字に略した学名TrAからついた。
…… 風鳥座	この風鳥は極楽鳥をさす。輸出するとき足を切り、木に止まれない鳥が風に乗ったように見えたところからついた。
…… 孔雀座	望遠鏡座と八分儀座の間にある星座。α星は、英名でピーコック(孔雀)と名づけられている。
…… 望遠鏡座	南冠座の下(南)にある星座。本州からは星座の一部が地平線にかかって見えない。もとは「天文用の筒」と呼ばれた。
…… 祭壇座	いわゆるプトルマイオス(トレミー)の48星座の1つ。犠牲をささげるときに、火をたく祭壇を意味している。
インディアン座	顕微鏡座の下(南)に位置したアメリカインディアンをかたどっている。本州からは星座の北部分のみが見える。
…… 巨嘴鳥座	鶴座の下(南)にある星座。小マゼラン雲は満月の9倍の大きさがある。NGC104は肉眼で見える球状星団。
…… 八分儀座	天の南極のある星座。日本からはまったく見ることはできない。天の南極にもっとも近いのは光度5等のσ星。
…… 水蛇座	1等星アケルナルの南でL字形を描いている。海蛇が雌であるのに対し、水蛇は雄であるという。
…… 時計座	1等星アケルナルの左(東)にある星座。ラカイユが設定したもので、当初は「振子時計座」と呼ばれた。
…… レチクル座	時計座の左(東)にある星座で、菱形を描いている。レチクルは、望遠鏡の接眼鏡に張る十字線のこと。
…… 画架座	カノープスと大マゼラン雲の間で、「へ」の字を描いている。画架とは、カンバスを立てかけるイーゼルのこと。
…… 旗魚座	大マゼラン雲は、満月の22倍もあるお隣りの小宇宙。この星座の英名はゴールドフィッシュ、中国名も金魚という。
テーブル山座	大マゼラン雲が一部かかっている星座。テーブル山は、南アフリカのケープタウンの南側にそびえる実在の岩山。

星座名	読み	学名	略符	20時南中	掲載頁	
水瓶座	みずがめざ	Aquarius	Aqr	10月22日	144	‥‥‥
南魚座	みなみのうおざ	Pisces Austrinus	PsA	10月17日	144	‥‥‥
ペガスス座	ペガススざ	Pegasus	Peg	10月25日	146	‥‥‥
小馬座	こうまざ	Equuleus	Equ	10月20日		‥‥‥
鶴座	つるざ	Grus	Gru	10月22日		‥‥‥
魚座	うおざ	Pisces	Psc	11月22日	145	‥‥‥
彫刻室座	ちょうこくしつざ	Sculptor	Scl	11月25日		‥‥‥
鳳凰座	ほうおうざ	Phoenix	Phe	12月2日		‥‥‥
アンドロメダ座	アンドロメダざ	Andromeda	And	11月27日	148	‥‥‥
ペルセウス座	ペルセウスざ	Perseus	Per	1月6日	152	‥‥‥
鯨座	くじらざ	Cetus	Cet	12月17日	147	‥‥‥
三角座	さんかくざ	Triangulum	Tri	12月25日	149	‥‥‥
牡羊座	おひつじざ	Aries	Ari	12月25日	152	‥‥‥

冬の星座

星座名	読み	学名	略符	20時南中	掲載頁	
オリオン座	オリオンざ	Orion	Ori	2月5日	168	‥‥‥
牡牛座	おうしざ	Taurus	Tau	1月24日	162	‥‥‥
兎座	うさぎざ	Lepus	Lep	2月6日	178	‥‥‥
鳩座	はとざ	Columba	Col	2月10日		‥‥‥
馭者座	ぎょしゃざ	Auriga	Aur	2月10日	167	‥‥‥
大犬座	おおいぬざ	Canis Major	CMa	2月26日	174	‥‥‥
小犬座	こいぬざ	Canis Minor	CMi	3月5日	177	‥‥‥
一角獣座	いっかくじゅうざ	Monoceros	Mon	3月3日		‥‥‥
麒麟座	きりんざ	Camelopardalis	Cam	2月5日		‥‥‥
エリダヌス座	エリダヌスざ	Eridanus	Eri	1月14日		‥‥‥
炉座	ろざ	Fornax	For	12月23日		‥‥‥
彫刻具座	ちょうこくぐざ	Caelum	Cae	1月29日		‥‥‥
船尾座	ともざ	Puppis	Pup	3月13日	179	‥‥‥
羅針盤座	らしんばんざ	Pyxis	Pyx	3月31日	179	‥‥‥
竜骨座	りゅうこつざ	Carina	Car	3月28日	179	‥‥‥
帆座	ほざ	Vela	Vel	4月10日	179	‥‥‥

南天の星座

星座名	読み	学名	略符	20時南中	掲載頁	
飛魚座	とびうおざ	Volans	Vol	3月13日		‥‥‥
蠅座	はえざ	Musca	Mus	5月26日		‥‥‥
カメレオン座	カメレオンざ	Chamaeleon	Cha	4月23日		‥‥‥
定規座	じょうぎざ	Norma	Nor	7月18日		‥‥‥
コンパス座	コンパスざ	Circinus	Cir	6月5日		‥‥‥
南三角座	みなみのさんかくざ	Triangulum Australe	TrA	7月13日		‥‥‥
風鳥座	ふうちょうざ	Apus	Aps	7月18日		‥‥‥
孔雀座	くじゃくざ	Pavo	Pav	9月13日		‥‥‥
望遠鏡座	ぼうえんきょうざ	Telescopium	Tel	9月2日		‥‥‥
祭壇座	さいだんざ	Ara	Ara	8月23日		‥‥‥
インディアン座	インディアンざ	Indus	Ind	10月7日		‥‥‥
巨嘴鳥座	きょしちょうざ	Tucana	Tuc	11月15日		‥‥‥
八分儀座	はちぶんぎざ	Octans	Oct	10月2日		‥‥‥
水蛇座	みずへびざ	Hydrus	Hyi	12月27日		‥‥‥
時計座	とけいざ	Horologium	Hor	1月6日		‥‥‥
レチクル座	レチクルざ	Reticulum	Ret	1月14日		‥‥‥
画架座	がかざ	Pictor	Pic	2月8日		‥‥‥
旗魚座	かじきざ	Dorado	Dor	1月31日		‥‥‥
テーブル山座	テーブルさんざ	Mensa	Men	2月10日		‥‥‥

大マゼラン雲と小マゼラン雲

マゼラン雲 マゼランうん

旗魚座と巨嘴鳥座にある、二つのお隣りの小宇宙。一五一九年、航海家マゼランが世界周航に出発し、その途中発見したところからこの名で呼ばれています。

大きいほうが旗魚座にある**大マゼラン雲**、小さいほうが巨嘴鳥座にある**小マゼラン雲**で、それぞれ一六万光年と、二〇万光年の距離にあります。見かけの大きさは満月の二二倍と九倍もあり、南半球では夜空に浮かぶ雲のように見えます。オリオン座と鯨座のはるか南にありますが、日本から見ることはできません。

旗魚座　巨嘴鳥座
大マゼラン雲　小マゼラン雲

大マゼラン雲

『宙ノ名前』参考文献

Allen, Richard Hinckley, *Star Names Their Lore and Meaning*, 1963, Dover Publications Inc., New York, N.Y., U.S.A.

George A Davis Jr., *Pronunciations, Derivations, and Meaning of a Selected List of Star Names*, 1963, Sky Publishing Corp., Harvard Observatory, Cambrige, Mass., U.S.A.

Peter Lum, *The Stars in Our Heaven -Myths and Fables*, 1948, Pantheon Books Inc., New York, N.Y., U.S.A.

堀尾実信	「天体と日本文学」（立命館出版部）	昭和7年〈1932〉
野尻抱影	「星と東西文学」（研究社）	昭和15年〈1940〉
恒星社　編	「フラムスチード天球図譜」（恒星社厚生閣）	昭和18年〈1943〉
内田武志	「日本星座方言資料」（日本常民文化研究所彙報）	昭和24年〈1949〉
野尻抱影	「星の神話伝説集成」（恒星社厚生閣）	昭和30年〈1955〉
高木市之助 他校注	「万葉集」（岩波書店）	昭和33年〈1958〉
池田亀鑑　他校注	「枕草子・紫式部日記」（岩波書店）	昭和33年〈1958〉
野尻抱影	「日本の星」（中央公論社）	昭和32年〈1957〉
久松潜一　他校注	「新古今和歌集」（岩波書店）	昭和33年〈1958〉
杉浦正一郎 他校注	「芭蕉文集」（岩波書店）	昭和34年〈1959〉
高津春繁	「ギリシア・ローマ神話辞典」（岩波書店）	昭和35年〈1960〉
呉茂一・高津春繁訳	「ホメーロス」（筑摩書房）	昭和39年〈1964〉
野尻抱影　他	「星座」（恒星社厚生閣）	昭和39年〈1964〉
呉　茂一	「ギリシア神話」（新潮社）	昭和41年〈1966〉
草野心平　編	「宮沢賢治」（新潮社）	昭和42年〈1967〉
坂本太郎　他校注	「日本書紀」（岩波書店）	昭和42年〈1967〉
草下英明	「星座手帳」（社会思想社）	昭和44年〈1969〉
社会思想社 編	「東京生活歳時記」（社会思想社）	昭和44年〈1969〉
野尻抱影	「星三百六十五夜」（恒星社厚生閣）	昭和44年〈1969〉
吉田光邦	「星の宗教」（淡交社）	昭和45年〈1970〉
山本健吉　編著	「最新俳句歳時記」（文藝春秋）	昭和46年〈1971〉
草下英明	「星の百科」（社会思想社）	昭和46年〈1971〉
岡田芳朗	「日本の暦」（木耳社）	昭和47年〈1972〉
宮本正太郎 他	「月をひらく」（地人書館）	昭和47年〈1972〉
広瀬秀雄	「日本人の天文観」（日本放送出版協会）	昭和47年〈1972〉
歴史読本臨時増刊	「万有こよみ百科」（新人物往来社）	昭和48年〈1973〉
広瀬秀雄	「年・月・日の天文学」（中央公論社）	昭和48年〈1973〉
野尻抱影	「日本星名辞典」（東京堂出版）	昭和48年〈1973〉
金指正三	「星占い星祭り」（青蛙房）	昭和49年〈1974〉
原　恵	「星座の神話」（恒星社厚生閣）	昭和50年〈1975〉
相賀徹夫　編	「万有百科大事典」（小学館）	昭和50年〈1975〉
草下英明	「宮沢賢治と星」（學藝書林）	昭和50年〈1975〉
有馬次郎　他	「見る月見られる月」（社会思想社）	昭和51年〈1976〉
杉本つとむ 解説	「物類称呼（越谷吾山）」（八坂書房）	昭和51年〈1976〉
志摩芳次郎	「入門俳句歳時記」（大陸書房）	昭和52年〈1977〉
藪内　清　訳	「ヘベリウス星座図絵」（地人書館）	昭和52年〈1977〉
古畑正秋	「天文観測辞典」（地人書館）	昭和52年〈1977〉
野尻抱影	「星の民俗学」（講談社）	昭和53年〈1978〉
石川　淳　他訳	「古事記・日本靈異記・風土記・古代歌謡」（岩波書店）	昭和54年〈1979〉
水原秋桜子 他監	「日本大歳時記」（講談社）	昭和58年〈1983〉
島田勇雄　他訳注	「和漢三才図会（寺島良安著）」（平凡社）	昭和60年〈1985〉
犬養　孝	「万葉の歌びとと風土」（中央公論社）	昭和63年〈1988〉
梅棹忠夫　他監	「日本語大辞典」（講談社）	平成元年〈1989〉
森川　昭　他校注	「初期俳諧集」（岩波書店）	平成3年〈1991〉
水庭　進　編	「現代俳句古語逆び引き辞典」（博友社）	平成4年〈1992〉
河村真光	「密教占星法実践」（光村推古書院）	平成5年〈1993〉
国立天文台 編	「理科年表（最新版）」（丸善）	

『宙ノ名前』索引

※ここでは、個々に解説を設けて紹介した項目名の他に、解説文中に太字で記した言葉を取り上げています。
※解説文中に出てくる言葉に関しては、（　）内にその言葉が登場する項目名を記しています。
※本索引に掲示していない星座名、二十八宿の名前については、それぞれ、182～185頁に88星座一覧、81頁に
　二十八宿一覧を掲載しましたので、そちらをご参照ください。

あとがき……………………………………………林　完次

　菫色でもないし、杜若色でもありませんが、黄昏どきになると、辺りが一瞬、そんな色に染まるときがあります。私の好きな時間帯です。樹木も、建物も、行き交う人の顔も、皆その色になるのです。

　この魅惑の色は気まぐれで、年に数回「姿」を見せるに過ぎません。それを追い求めるうちに、気がつくと、夕焼けが闇に吸いこまれ、深い群青の空にまたたく星にカメラを向けるようになっていました。

　神秘的な宇宙に魅せられたころは、何万光年という彼方の渦巻き銀河の姿をとらえたくて、好んで星座にひそむ星雲や星団を写してきました。晴れていれば、白々と夜が明けるまで星を追跡します。星の動きで地球の自転を肌で感じるときですが、最近は四季の移ろいとともに、身近な自然にも目が向くようになってきました。

　大火流る——。漢詩にしばしば見られるように、蠍座のアンタレスが西に傾いて秋がきたことを、中国では古くからこう表現してきました。冬の到来を告げるすばる、早春の宵に勢いよく上る獅子座のように、花、鳥、風などで知る季節感とは別の趣があります。星はどこで見ても同じようですが、湖に映る星影や山の端にかかる星座は、ときに優しく、ときに雄大に感じられます。

198

窓を開けたときの、夜の匂いがするような星空の写真、こうしたテーマで撮り続けているとき、幸いにも光琳社出版から上梓する機会に恵まれました。それと同時に、身の引き締まる思いもしました。雲の写真などで活躍されている高橋健司氏が、宙の文字こそ違いますが、同じ読み方の「空の名前」をすでに出版され、好評を博していたからです。ためらいもありましたが、高橋氏のお許しを得て「宙ノ名前」の出版の運びになりました。

本書をまとめるにあたり、夜空に関する名前を多方面の文献から拾い集めました。ふだん使っている言葉、忘れかけている言葉など、集めてみると膨大な数になりました。どれを採用して、どの写真を使うか、この作業はパズルのようで困難を極めました。時間の都合で写真が不足しているところがありますが、今後の課題ということで、お赦し願いたいと思います。

編集作業を通して、光琳社出版を経てフリーランスになられた三枝克之さんには、一方ならぬお世話になりました。京都から何度も足を運ばれたうえ、電話とファックスのやり取りは深夜におよんだこともありました。また、光琳社出版の大久保益子さんや各スタッフの方々にもお世話になりました。この場をお借りして御礼申し上げます。

「どうして、だれも私に星座のことを教えてくれなかったのだろう」と、嘆いたイギリスの哲学者がいました。星と接する機会が多い私は、幸いこの嘆きだけはしないですみそうです。梅雨が明けたら、久しぶりに星たちに逢いに行こうと思っています。

平成7年6月　梅雨入りの前に記す

本文の写真掲載にあたっては、ぎょうせい（林完次写真集『星の詩』）の協力を得ました。

宙 SORA ノ NO 名 NA 前 MAE

林 完次 はやしかんじ

1945年東京生まれ
明治大卒。天体写真家
現在、茨城県牛久市に在住
日本天文学会会員
自然科学写真協会会員
著書
『21世紀星空早見ガイド』(講談社)
『星座』4分冊(保育社)
『星ものがたり』5分冊(小学館)他
写真集
『星の詩』(ぎょうせい)

初版発行　平成7年8月1日

第6刷　平成8年1月9日

定　価　3,200円（本体3,107円）

写真・文　林　完次

企画編集　三枝克之

造本装幀　吉川陽久

発 行 人　中島厚秀

発 行 所　光琳社出版株式会社
　　　　　〒602　京都市上京区元誓願寺通油小路東入ル
　　　　　TEL.075-441-6793

印刷製本　株式会社　光　琳　社

Printed in Japan

宵闇　黄道光

夜寒　五更

終夜　夜半　夜　夜　小夜　夜　夜　春宵　宵　宵　宵

W9-CEY-932

日暮れ　夕暮方　夜明け　夕　夕方　夕さり　夕まし　薄暮　暮れ

三丁の星　三星様　三大星　三大師　尺五星　算木星

錨星　五曜　ケフェウス座　備前の箕　ティコの星　カシオペヤ座　ラコニアの鍵　ヘンナで染めた手

甲夜　乙夜　丙夜　丁夜　戊夜

月輪　月齢　月色　月暈

蛇座　讃岐の箕　箕星　南の舵星　南斗六星　射手座

星合い　星の契り　星の別れ　皆既日食　金環食　部分日食

犬の日　目玉星　両眼星　巨人の日

南の一つ星　北落帥門　魚座　ペガスス座　桝形星

竜座　貫索　竈星　冠座　ヘルクレス座

深夜　真夜中　更く　深更　午夜

二更　三更　四更　五更

輔星　四十グレ　獅子座　糸かけ星　獅子の大鎌　樋掛け星　軒轅　酒星　レグルス　デネボラ　獅子座流星群　烏座　四つ星　皮張り星　弓張り星　田毎の月　四季の月　釣鐘星　雨降りヒヤデス　ヒヤデス星団　駅者座　カペラ　絵の其星　大星　鞍掛け星　南の色白　野鶏　ドラグスター　スパイカズ・スパンカー

牡羊座　アルフェラッツ　斗掻き星　ミラ　アンドロメダ座　アンドロメダ大星雲　三角座　奎宿　鯨座　朔望月　二十六夜　二十三夜待　下弦　更待月　寝待月　居待月

子の方の星　北の子の星　ネノフシ　ネノホウシ　ダイヤモンドダスト　天使のささやき